अश्विनी कुमार पंकज

अश्विनी कुमार पंकज का जन्म सन् 1964 में हुआ। पिछले तीन दशकों से अभिव्यक्ति के सभी माध्यमों—रंगकर्म, कविता-कहानी, आलोचना, पत्रकारिता, डाक्यूमेंटरी, प्रिंट और वेब में रचनात्मक उपस्थिति। झारखंड एवं राजस्थान के आदिवासी जीवनदर्शन, समाज, भाषा-संस्कृति और इतिहास पर विशेष कार्य।

उलगुलान संगीत नाट्य-दल, राँची के संस्थापक संगठक सदस्य। 2006 में राँची से लोकप्रिय मासिक नागपुरी पत्रिका 'जोहार सहिया' और पाक्षिक बहुभाषी अखबार 'जोहार दिसुम खबर' का सम्पादन। फिलवक्त रंगमंच एवं प्रदर्शनकारी कलाओं की त्रैमासिक पत्रिका 'रंगवार्ता' और बहुभाषायी त्रैमासिक पत्रिका 'झारखंडी भाषा साहित्य संस्कृति अखड़ा' के प्रकाशन से सम्बद्ध।

उनकी प्रकाशित पुस्तकें है— 'माटी माटी अरकाटी' (उपन्यास); 'पेनाल्टी कॉर्नर', 'इसी सदी के असुर', 'सालो', 'अथ दुडग़म असुर हत्या कथा' (कहानी-संग्रह); 'जो मिट्टी की नमी जानते हैं', 'ख़ामोशी का अर्थ पराजय नहीं होता' (कविता-संग्रह); 'युद्ध और प्रेम', 'भाषा कर रही है दावा' (लम्बी कविता); 'छाँइह में रउद' (दुष्यन्त कुमार की ग़ज़लों का नागपुरी अनुवाद); 'एक अराष्ट्रीय वक्तव्य' (विचार); 'नागपुरी साहित कर इतिहास' (भाषा साहित्य); 'रंग-बिदेसिया' (भिखारी ठाकुर पर), 'उपनिवेशवाद और आदिवासी संघर्ष', 'आदिवासिडम और प्राथमिक आदिवासी विमर्श' (सम्पादन); 'मरङ गोमके जयपाल सिंह मुंडा' (जीवनी)।

ई-मेल : akpankaj@gmail.com

आदिवासी प्रेम कहानियाँ

अश्विनी कुमार पंकज

राधाकृष्ण पेपरबैक्स

राधाकृष्ण पेपरबैक्स में
पहला संस्करण : 2019
तीसरा संस्करण : 2026

राधाकृष्ण पेपरबैक्स : उत्कृष्ट साहित्य के जनसुलभ संस्करण

राधाकृष्ण प्रकाशन प्राइवेट लिमिटेड
जी-17, जगतपुरी, दिल्ली-110 051
द्वारा प्रकाशित

शाखाएँ : अशोक राजपथ, साइंस कॉलेज के सामने, पटना-800 006
पहली मंजिल, दरबारी बिल्डिंग, महात्मा गांधी मार्ग, प्रयागराज-211 001
1, अनमोल सोराबजी सन्तुक लेन, धोबी तलाव, मरीन लाइंस, मुम्बई-400 002

वेबसाइट : www.radhakrishnaprakashan.com
ई-मेल : info@radhakrishnaprakashan.com

बी.के. ऑफसेट
नवीन शाहदरा, दिल्ली-110 032
द्वारा मुद्रित

मूल्य : 250

ADIVASI PREM KAHANIYAN
Stories by Ashwini Kumar Pankaj

ISBN : 978-81-8361-935-6

विन्नी को
मैं जिसकी बाँसुरी हूँ

क्रम

प्रेम आदिवासी संघर्ष का बीज है

भूमंडलीकरण के बढ़ते प्रभाव ने विश्व के विद्वानों, चिन्तकों और साहित्यकारों को आदिवासी जनजीवन की ओर आकर्षित किया है। वर्तमान विश्व जिन समस्याओं से जूझ रहा है आदिवासी जीवन दर्शन उन समस्याओं के रोकथाम के लिए प्रहरी के समान है। किन्तु दूसरी ओर आदिवासियों को अपनी भाषा, संस्कृति, दर्शन आदि की रक्षा के लिए सदियों से संघर्ष करना पड़ रहा है। आदिवासी साहित्य उनके संघर्ष, जीवन दर्शन और जिजीविषा को अभिव्यक्त करने का प्रयास कर रहा है। साहित्य में कहानी विधा आधुनिक युग की देन है। इसके बावजूद कहानी सबसे अधिक लोकप्रिय विधा है। कहानी सबसे अधिक लिखी-पढ़ी जाती है। कहानी विधा लम्बा सफर तय कर चुकी है जिसमें अनेक मोड़ आए। सामाजिक समस्या, किसानों और मजदूरों की समस्या तथा अंग्रेजों के शोषण के खिलाफ बगावत करते हुए हिन्दी कहानी की नींव मजबूत हुई थी। मनोवैज्ञानिक कहानियाँ लिखी गईं और व्यक्तिगत अनुभव को भी कहानी में स्थान मिला। ऐतिहासिक संघर्षों, घटनाओं और प्रसिद्ध व्यक्ति के आधार पर ऐतिहासिक कहानियाँ भी लिखी गईं। किन्तु आदिवासी जनजीवन हिन्दी कहानी से नदारद था। 19वीं सदी के अन्तिम दशकों से विभिन्न आदिवासी भाषाओं में साहित्य रचा जाने लगा। 'आदिवासी', 'आदिवासी सकम', 'आदिवासी' (सरकारी), 'होड़ सोम्बाद', 'पेड़ा होड़' आदि पत्रिकाओं के द्वारा आदिवासी कविता और कहानी प्रकाशित होने लगी। इसलिए मुख्य भारतीय भाषाओं में आदिवासी साहित्य भले ही कम हो किन्तु आदिवासी भाषाओं में आदिवासी साहित्य समृद्ध है। 1930-40 के दशक में सुशीला सामद सुदूर झारखंड में हिन्दी भाषा में कविता और कहानी लिख रही थीं। तत्पश्चात् एलिस एक्का,

जयपाल सिंह मुंडा, बाबूलाल मुर्मू 'आदिवासी' आदि आदिवासी जनजीवन, संस्कृति, समाज आदि को लिखकर हिन्दी साहित्य को भरा-पूरा बना रहे थे।

1757 ई. में ईस्ट इंडिया कम्पनी ने नवाब सिराजुद्दौला को प्लासी के युद्ध में हराया। सिराजुद्दौला की हार के बाद अंग्रेजों की शक्ति और शोषण भी बढ़ता गया। 1764 ई. में बक्सर के युद्ध में मुगल सम्राट शाह आलम भी पराजित हुआ। 1765 ई. में कड़ा के युद्ध में उसकी शक्ति समाप्त हो गई। सम्राट ने तब बंगाल, बिहार और उड़ीसा की दीवानी अंग्रेजों को बख्श दी। अंग्रेजों ने शोषण आदिवासियों से ही शुरू किया। जिसके कारण आदिवासियों ने अंग्रेजों के खिलाफ 1768 ई. से ही युद्ध करना शुरू कर दिया था।

अंग्रेजों के खिलाफ आदिवासियों का युद्ध आम जनता का युद्ध था। इसीलिए सरदार पटेल तक ने माना है कि आदिवासी जन इस भारतीय भूमि के प्रथम स्वतंत्रता सेनानी हैं। आदिवासियों का ब्रिटिश विरोध युद्ध पूरे देश में फैल नहीं सका क्योंकि तब आदिवासियों के शोषण में भारतीय राजा और जमींदार भी अंग्रेजों का साथ दे रहे थे। (उदाहरण—महाराजा मेहताब चन्द बर्द्धमान के राजा थे। इनके समय में जमींदारी खूब फली-फूली थी। इन्होंने संताल हूल के समय अंग्रेजों का साथ दिया था।) 1857 ई. के पहले स्वतंत्रता संग्राम से पूर्व आदिवासियों के कई युद्ध हो चुके थे। जिसमें चौरा आन्दोलन (1768), पहाड़ी विद्रोह (1770), भील विद्रोह (1818), हो आन्दोलन (1820), कोली आन्दोलन (1824), खासी आन्दोलन (1829), सिंग्पो विद्रोह (1830), कोल विद्रोह (1831), गोंड आन्दोलन (1846), संताल विद्रोह (1855) आदि प्रमुख है। पर इस सम्बन्ध में इतिहास मौन है और राष्ट्रवादी, उदार एवं प्रगतिशील सभी इतिहासकारों-लेखकों ने 1857 ई. के सिपाही विद्रोह को ही पहला स्वतंत्रता संग्राम घोषित किया है। आदिवासियों के स्वतंत्रता संग्राम के सम्बन्ध में जिस प्रकार इतिहास मौन है उसी प्रकार आदिवासी युद्धों और विद्रोह के नायक-नायिकाओं के सम्बन्ध में भी इतिहास गहरी चुप्पी साधे हुए है।

'आदिवासी प्रेम कहानियाँ' में इतिहास के अमर पात्रों के प्रेम और संघर्ष को रोचकता और प्रमाण के साथ प्रस्तुत किया गया है। ये कहानियाँ आदिवासियों के इतिहास को भी दुरुस्त करती हैं और आदिवासी समाज की विशेषताओं को भी प्रस्तुत करती हैं। आदिवासी समाज की विशेषताएँ इस संग्रह में उभरकर आई हैं। पहली विशेषता कि इस समाज में प्रेम का बड़ा महत्त्व है। इसलिए प्रेम के

पल्लवित होने में समाज का योगदान रहता है। हाँ, समाज के नियमों का पालन करना भी जरूरी होता है। किन्तु समाज के नियमों को प्रेम के रास्ते का काँटा नहीं बनाया जाता। प्रेम सम्बन्ध जुड़ जाने से उसके निर्वाह के लिए समाज का सहयोग अवश्य मिलता है। यह समाज संघर्षशील होता है। संग्रह की कहानियाँ और भी रोचक बन जाती हैं जब प्रेम संघर्ष से उत्पन्न होता है। अंग्रेजी समाज शोषण और सुन्दरता के लिए प्रसिद्ध है। अंग्रेजों के शोषण और अन्याय से मुक्ति के लिए आदिवासी संघर्ष करते हैं और उनसे विद्रोह करते हैं। आदिवासियों के न्याय-प्रेम और सुन्दरता की ओर अंग्रेजी समाज आकर्षित होता है। यही प्रेम की उत्स-भूमि है। चाहे वह सिदो और जेली हो, चाहे बुन्दी और सन्दु हो, चाहे बीरबन्ता बजल और जेलर की बेटी हो, चाहे मँगरी और रोजवेलगुड हो, चाहे बादल और मैग्नोलिया हो, सबके प्रेम का उत्स-भूमि न्याय-प्रेम और संघर्ष है। शोषक अंग्रेजों के घर में भी मानव के लिए संवेदना निवास करती है। वह भी कुरूप, असभ्य और बर्बर कहे जाने वाले आदिवासी समुदाय के लिए, पाठक की उत्सुकता और रुचि को बनाए रखने का काम करता है। कहानीकार ने अंग्रेजों की धार्मिक कट्टरता, सिस्टम के पुतले, अन्धविश्वास आदि पर व्यंग्य किया है। साथ ही आदिवासियों की निश्लछता का सुन्दर वर्णन भी किया है। जैसे फाँसी पर चढ़ाए जाने वाले आदिवासी युवक बजल से उसकी अन्तिम इच्छा पूछी जाती है। नियमानुसार जेलर बाप ने बजल से पूछा, "फाँसी से पहले प्रार्थना सुनना पसन्द करोगे? इससे मौत तकलीफदेह नहीं होगी और प्रभु तुम्हें स्वर्ग में अपने बराबर बिठाएँगे।"

बजल चौंका। यह प्रभु कौन है? यह स्वर्ग किस तरह की चीज है और कहाँ है जो प्रार्थना करने से प्रभु उसे अपने पास स्वर्ग में बैठाएगा? बजल ने मरने के समय ज्यादा दिमाग लगाना ठीक नहीं समझा, इसलिए तुरन्त जेलर से पूछ लिया, "यह प्रभु कौन है?" जेलर गम्भीरता से बोला, "सर्वशक्तिमान! स्वर्ग का राजा। हम उसे जीसस कहते हैं।" "और स्वर्ग क्या चीज है?" उसने भोलेपन से पूछा। "स्वर्ग वह अलौकिक जगह है, जहाँ पुण्य आत्माएँ रहती हैं। जहाँ कोई दुख नहीं रह जाता।" "अच्छा तो पहले बताना चाहिए था न। सूबा ठाकुर को, हमको और इतने सारे संताल लोगों को बेकार में हूल करना पड़ रहा है। तुम्हारे स्वर्ग के राजा को जाकर प्रार्थना कर देते वो हम सब संताल लोगों को स्वर्ग में बुला लेता, हम सबके दुख खतम।" (बजल की बाँसुरी-77)

आदिवासी समाज की मौखिक परम्परा काफी समृद्ध है। इसमें इतिहास, संस्कृति और साहित्य सुरक्षित है। आदिवासी लोग झारखंड के आदिम समुदाय हैं। धीरे-धीरे उनके बीच अन्य समाज भी आने लगा। आदिवासियों के बीच नागवंश के आने की घटना को संग्रह में रोचक ढंग से प्रस्तुत किया गया है। आदिवासी समाज में जो भी बड़ी घटना घटती है, समाज उसे अपनी संस्कृति में पिरो लेता है। आदिवासी समाज ने वर्षों पूर्व हुए दिकु विवाह को नागवंश के संक्रमण की कथा के जरिए जीवित रखा है। कहानीकार ने इसमें आदिवासी संस्कृति का सुन्दर चित्रण किया है। आदिवासी कथा कहने की यह समझ और क्षमता महज एक संयोग नहीं है बल्कि इसलिए है कि उस समाज के साथ लेखक जिये हैं और उसे अंगीकार किए हैं। आदिवासी जब पहली बार गैर आदिवासी समाज के लोगों को देखते हैं उनकी उत्सुकता का सहज वर्णन 'चान्दमुनि और नाग राजकुमार' कहानी में हुआ है जिससे कहानी जानदार बन पड़ी है। संग्रह की कहानियाँ इतिहास और लोक कथाओं पर आधारित हैं जिसे कल्पना के द्वारा सुन्दर बनाया गया है। कहानीकार ने प्रत्येक कहानी के अन्त में उसके स्रोत का जिक्र किया है। ऐतिहासिक कहानी लिखने की परम्परा में यह नया और अनूठा प्रयोग है। कहा जा सकता है कि आदिवासी साहित्य के इतिहास में 'आदिवासी प्रेम कहानियाँ' महत्त्वपूर्ण भूमिका दर्ज करेंगी।

—डॉ. मेरी हाँसदा

सहायक प्राध्यापक, हिन्दी विभाग,
प्रेसिडेंसी विश्वविद्यालय, कोलकाता

प्रेम और संघर्ष के ताप की कहानियाँ

झारखंड क्षेत्र अपने में संघर्षमय भूमि का द्योतक है। यहाँ बसने वालों की धमनियों में खून के साथ-साथ कठोर श्रम और संघर्ष भी बहता है। अपनी जातीय संस्कृति और पहचान को बरकरार रखने के लिए झारखंड के आदिवासी सदा से ही संघर्षरत रहे हैं।

'आदिवासी प्रेम कहानियाँ' कहानी संग्रह में कुल नौ कहानियाँ हैं। इन कहानियों में झारखंड का आदिवासी परिवेश, प्रकृति, परिस्थितियाँ, उनका जीवन, उनकी सहज प्रवृत्तियाँ और स्वतंत्रता संग्राम में अंग्रेजी सत्ता के साथ उनके द्वारा किया गया संघर्ष उभरकर आया है।

आदिवासियों का जीवन सदियों से मुख्यधारा से अलग रहा है। प्रकृति के सान्निध्य में रहने और मुख्यधारा के समाज से बहुत जुड़ाव न होने के परिणाम इनके लिए सकारात्मक और नकारात्मक दोनों ही रहे हैं। सकारात्मक इस दृष्टि से है कि इनके जीवन में आज भी सहजता मौजूद है। ये मुख्यधारा के जीवन की कृत्रिमता से कोसों दूर हैं। परन्तु भौतिक जगत में होने वाले विकास के मायने अभी इनकी जिन्दगी में शामिल नहीं हो पाए हैं और इनकी मस्तमौला जिन्दगी को देखते हुए ये लगता भी है कि अगर कुछ बुनियादी जरूरतों की बात न की जाए तो इनको भौतिक सुख की बहुत लालसा है भी नहीं।

प्रेम जीवन का रस है। इसके अभाव में जिन्दगी की कल्पना तो सम्भव है परन्तु रसहीन जिन्दगी के क्या मायने? प्रेम का पथ आसान नहीं होता है। प्रेम एक सहज प्रस्फुटित होने वाला वह कोमल भाव है जो अपने आगे-पीछे यह नहीं देखता कि वह किससे प्रेम कर रहा है। सहृदय के हृदय में प्रेम के नाम पर गुणा-जोड़-घटाव का काम ही नहीं होता है। जो सोच-समझकर प्रेम करे वो सच्चा प्रेमी हो नहीं सकता है। इन नौ कहानियों में प्रेम के सच्चे स्वरूप

का दर्शन हुआ है। जहाँ बहुत सहजता के साथ प्रेम जीवन में प्रवेश करता है और उसी के प्रति पूर्ण समर्पण भाव है। इन प्रेम कहानियों में कुछ का अन्त सुखान्त है तो कुछ का दुखान्त है।

प्रेम की नियति संघर्ष और समर्पण से तय होती है। समर्पण खुद का और संघर्ष जग से। हम अतीत से सुनते आए हैं कि 'यह प्रेम को पंथ कराल महा/ तरवारी की धार पै धावनो है', तलवार की धार पर चलने के समान होने के बावजूद लोग चलते थे, चलते हैं और चलते रहेंगे। इस संग्रह की सभी कहानियों में आपको समर्पण और संघर्ष का उदात्त रूप देखने को मिलता है।

प्रेम सीमातीत है, उसको दरो-दीवारों में कैद नहीं किया जा सकता है। इसे किसी दुभाषिये की भी जरूरत नहीं होती। हृदय की मौलिक उद्गार की अभिव्यक्ति व्यक्ति बिन भाषा जाने भी अभिव्यक्त कर सकता है। प्रेम के सामने शत्रु है या साथी वह इसका भी होश नहीं रखता है। इस संग्रह की कई कहानियाँ ऐसी हैं जहाँ दो के मध्य का प्रेम सहजता से स्वीकार नहीं किया जा सकता परन्तु प्रेम होता है और उसको निभाने की कोशिश अपने पूरे जज्बे के साथ दोनों वर्गों में है।

इस संग्रह में कहानीकार ने झारखंड के आदिवासी समाज के जीवन का चित्रण किया है। सामान्यतया देश की आजादी में बड़े-बड़े देशभक्तों का नाम लिया जाता है लेकिन आजादी की लड़ाई में आदिवासियों की भूमिका इतिहास के पन्नों में भी नगण्य है। इन कहानियों के माध्यम से अपनी जातीय संस्कृति और अपनी भूमि के प्रति मर मिटने की अद्भुत जज्बे से लैस आदिवासियों के प्रेम और संघर्ष का चित्रण है जो हमें नए तरीके से देश के इतिहास को समझने के लिए बाधित करता है।

लम्बे दौर से देश की मुख्यधारा से अलग रहे आदिवासियों की यह अभिव्यक्ति अपने आप में काबिलेतारीफ है। इनकी रचनात्मक ऊर्जा समय और अनुभव की ताप में उत्तरोत्तर पुष्पित-पल्लवित हो यही मेरी उम्मीद है। यही मेरी प्रार्थना है।

मैं अश्विनी कुमार पंकज जी की आभारी हूँ जिन्होंने मुझे इस कार्य के योग्य समझा। उनसे मिलने पर महसूस हुआ कि वे पूरे झारखंडी समाज और संस्कृति के प्रतीक हैं। झारखंडी समाज और संस्कृति को मेरा सादर नमन।

—चुकी भूटिया

असिस्टेंट प्रोफेसर (हिन्दी विभाग)

सिक्किम विश्वविद्यालय, गंगटोक (सिक्किम)

प्रेम की बाँसुरी वाली आदिवासी दुनिया

भारतीय वाङ्मय और परम्परा में अलौकिक प्रेम की महत्ता है। लौकिक प्रेम की तुलना में इसे ईश्वरीय प्राप्ति, आध्यात्मिक आनन्द और आत्मिक सुख का पर्याय बताया गया है। सगुण और निर्गुण भक्ति की दोनों काव्यधारा में और सूफी परम्परा में भी प्रेम के अलौकिक पक्ष को ही प्रधानता मिली है। अलौकिक प्रेम यानी एक ऐसा अवायवीय प्रेम जिसका कोई यथार्थपरक देहोपयोगी और सांसारिक प्रासंगिकता नहीं है। हालाँकि इस उदात्त, अवास्तविक, अलौकिक प्रेम की तुलना में घोषित तुच्छ लौकिक प्रेम ही दुनिया के सृजन का आधार रहा है। पहले भी, आज भी। अवायवीय प्रेम चाहे जितना भी महान, आत्मिक और ईश्वरीय क्यों न हो, सृष्टि के विकास में उसकी कोई उपयोगिता नहीं है। वह एक मानसिक व्यापार है जिसमें वैसे लोग ही हमेशा संलग्न रहे हैं, जिनका कोई निश्चित सर्जनात्मक योगदान समाज में नहीं रहा है। चाहे वह मीरां हों, सूरदास हों या इसी तरह के और दूसरे कवि। यहाँ सर्जनात्मक योगदान से मेरा आशय वह आदिम प्रवृत्ति है जो सृष्टि की निरन्तरता के लिए अनिवार्य है।

लौकिक प्रेम को निम्नतर सिद्ध करने की एक हठवादी परम्परा भारत और दुनिया के गैर-आदिवासी समाजों में 'सभ्यता' के साथ ही विकसित हुई है। और यह आधुनिक काल तक अबाध रूप से प्रचलित है। 'सभ्यता' के इस प्रेमविरोधी हठवाद को हम उन लोकप्रिय प्रेम कहानियों में बहुत क्रूरतम रूप में पाते हैं जिनमें लैला-मजनू, शीरीं-फरहाद और रोमियो-जूलियट जैसे प्रेम चरित्रों और कथानकों को अवायवीय बना दिया गया है। हमारी आज की दुनिया में भी ऐसे उदाहरणों की भरमार है जब हम विशुद्ध लौकिक प्रेम को अलौकिक रंग से रंगी एक आकर्षक और दिव्य पेंटिंग के रूप में टँगा हुआ देखते हैं। जिसको एक

निश्चित दूरी से ही देखा जा सकता है और देखकर सिर्फ आह भरी जा सकती है।

आखिर लौकिक प्रेम, जो सृजन का मूलाधार है, दुनिया के दर्शन और साहित्य में इतना हेय क्यों है? ग्लानि और अपराध की हद तक इतना संगीन क्यों है? क्यों दार्शनिक स्तर पर लौकिक प्रेम की स्थिति 'लक्ष्मी' बनकर 'विष्णु' का पैर दबाने भर की है? क्यों लौकिक प्रेम की 21वीं सदी में भी चौपाल पर सामाजिक रूप से बोटी-बोटी कर डालना चाहिए और क्यों ब्याहता स्त्री मीरा का पर-पुरुष गिरधर से तथा विवाहित पुरुष गोपाल का दूसरी स्त्री राधा से किया गया प्रेम अलौकिक मानना चाहिए?

इन प्रश्नों का जवाब बहुत ही सरल और सरस ढंग से आम जनजीवन में मौजूद है। विशेषकर आदिवासी समाज में जहाँ प्रेम को लेकर कोई वर्जना नहीं है। अलौकिक और लौकिक प्रेम का कोई द्वन्द्व नहीं है। वहाँ प्रेम को लेकर कोई 'गाइडलाइन' नहीं है। प्रेम जहाँ सृष्टि के एक अनिवार्य तत्त्व की तरह जीवन में मौजूद है और इसकी महत्ता को लेकर कोई दुविधा नहीं है। उन्हें प्रेम करने और उसे जानने के लिए ईश्वर के साक्षात्कार की जरूरत भी नहीं पड़ती। वे सृष्टि के तत्त्व में प्रेम की मौजूदगी पाते हैं और अपने रोजाना के जीवन में 'दाल-भात' की तरह धड़ल्ले से उसका उपयोग करते हैं। इसीलिए उनका जीवन हर परिस्थिति में आनन्दमय रहता है। इनसान होने के चरम उल्लास, सुख और आनन्द से सराबोर, जिसकी तीव्र अभिव्यक्ति उनके दैनन्दिन नाच-गान में दिखाई पड़ती है।

बाँसुरी प्रेम की अभिव्यक्ति और संचार का एक अनुपम माध्यम है। यह हमें व्यापकता से आदिवासी समाज में ही मिलता है। विकसित सभ्यताओं में बाँसुरी सहजता से हर कहीं नहीं मिलती। जबकि बाँसुरी होती ही है मन को मोहने वाली और उसे बजाने वाला तो एक नम्बर का रसिया। दिलफेंक नहीं, दिल का रसिया। दिलों में उतर जाने वाला रसिया। एक ऐसा इनसान जिसका प्रेमी हर कोई बनने की चाह रखे। जिसे हर कोई प्यार करने को चाहे। गैर-आदिवासी समाजों में बाँसुरी सिर्फ एक कला है, और उसे बजाने वाला इनसान प्रेमी नहीं कहलाता, वह मात्र कलाकार होता है। वहाँ बाँसुरी प्रेम का नहीं वरन् संगीत-कला का पर्याय है। गैर-आदिवासी समाजों में यदि बाँसुरी है भी तो वह अलौकिक है। जैसे कृष्ण की बाँसुरी। जो सिर्फ अनेक स्त्रियों से 'रास' के लिए बजती है। आदिवासियों की तरह घर, खेत, पहाड़,

नदी, जीव-जन्तुओं से प्रेम के लिए नहीं।

आदिवासी इलाकों में ऐसी कई प्रेम कहानियाँ हैं, जो बाँसुरी और उसके बजाने वाले से जुड़ी हैं। एक मामूली बाँस से बनी बाँसुरी ने कई गैर-आदिवासी औरतों का मन मोहा है, क्योंकि उनके समाज में न प्रेम है और न प्रेम संगीत की रचयिता बाँसुरी। वहीं, बाँसुरी आदिवासी झारखंड का जीवन संगीत है। क्योंकि आदिवासी समाज में अलौकिक नहीं लौकिक प्रेम ही जीवन है। जीवन लौकिकता है और कुछ भी नहीं। जीवन और प्रेम 'माया' नहीं है, 'माया' तो जीवन और प्रेम से इतर की वायवीय कल्पना भर है।

इस संग्रह में कुल नौ कहानियाँ हैं। सम्भव है, कई कहानियाँ कहानी नहीं बन पाई हों। हमने जब इस संग्रह की योजना बनाई थी तो मेरे पास सिर्फ इतिहास के कुछ अस्पष्ट सूत्र भर थे, जो युद्ध के बीच प्रेम के होने का साफ-साफ संकेत कर रहे थे। कुछ में स्पष्टता थी। जैसे 'चम्पा कुई और माधो सिङ' व 'बजल की बाँसुरी' कहानी। कुछ कहानियाँ जानी-सुनी थीं। जैसे 'चान्दमुनि और नाग राजकुमार', 'बुन्दी और सन्दु' और 'गुलईची और बादल' की प्रेम कहानियाँ। वहीं 'मँगरी मेम साब' असम की दारांग घाटी की एक अनसुनी और अनजानी प्रेम कथा है, तो 'डोम्बारी एक, डुम्बर दो' और 'हूल का फूल' आदिवासी इतिहास के दो प्रमुख नायकों सिदो और बिरसा मुंडा की प्रेम कहानियाँ हैं। हालाँकि इन दोनों के प्रेम के बारे में इतिहास बहुत धुँधला है। 'मूँगा और ललित' आदिवासियों की नहीं पर आदिवासी झारखंड के मूलवासी प्रेमियों की अद्भुत कहानी है।

'चम्पा कुई और माधो सिङ' की प्रेम कथा का सूत्र हमने सैम तोपनो की 'मुंडा कुर्सीनामा' से, 'चान्दमुनि और नाग राजकुमार' जगदीश त्रिगुणायत की 'मुंडा लोक कथाएँ' से और 'मँगरी मेम साब' विल्फ्रेड तोपनो की 'स्ट्रगल्स ऑफ आदिवासीज ऑफ असम' से लिया है। 'बुन्दी और सन्दु' की प्रेम कहानी का आधार मंगल सिंह मुंडा का उपन्यास 'छैला सन्दु' है। 'मूँगा और ललित' का आधार डॉ. बी.पी. केशरी का लेख और रंगकर्मी अशोक पागल से मिली सूचना है। 'डोम्बारी एक, डुम्बर दो' कहानी का ताना-बाना बुनने में कुमार सुरेश सिंह की पुस्तक 'बिरसा मुंडा और उनका आन्दोलन' से सहायता मिली है। 'गुलईची और बादल' कहानी जबकि झारखंडी अवाम की देन है। हम इन सभी स्रोतों के बहुत आभारी हैं और सबको हृदय से धन्यवाद देते हैं। माँ डॉ. रोज केरकेट्टा, सुषमा असुर, अनिमा बिरजिया, पश्चिम बंगाल के सुन्दर मनोज

हेम्ब्रम और असम के जीतन लकड़ा के प्रति भी आभार जिनसे इन कहानियों को रचने में जानकारियों व सुझावों की मदद मिली। आभार चुकी भूटिया और मेरी हाँसदा का भी कि दोनों ने इसकी भूमिका लिखी।

संग्रह की कहानियों का काल हड़प्पा के पूर्व समय से लेकर बीसवीं सदी के तीसरे दशक तक का है। इनमें से कुछ कहानियों में ऐतिहासिक सच्चाई है, तो कुछ सच के करीब हैं। कहानियाँ बुनते समय कुछ पात्रों के नाम जोड़ दिए गए हैं, क्योंकि उनका जिक्र नहीं मिलता है। वहीं, कई नाम सही हैं तो कुछ कल्पित हैं। जैसे चान्दमुनि, जेली, कुमची और रोजवेलगुड के नाम कल्पित हैं। कथानक और घटनाएँ सच्ची हैं और वे कहानी में इतिहास के साथ साम्यता रख पाएँ इसकी पूरी कोशिश की गई है। फिर भी गलतियाँ होंगी इससे इनकार नहीं है। इस प्रसंग में विनम्रता से यही कहूँगा कि ऐसी गलतियों के लिए लेखक हमेशा आप सबसे क्षमा का आकांक्षी बना रहेगा। हमारा उद्देश्य सिर्फ इतिहास को रखना है, जीवन के उस पक्ष को रखना है, जिसमें युद्ध है तो प्रेम भी है। बल्कि यूँ कहें कि आदिवासियों का युद्ध प्रेम के लिए है और प्रेम, युद्ध के लिए है। दोनों समानान्तर चलते हैं और एक बाँसुरी हर आदिवासी युद्ध में बजती रहती है। यह सोचनीय है कि आदिवासी प्रेम और युद्ध के पक्ष पर इतिहास की नजर नहीं पड़ी है। महत्त्वपूर्ण बात यह भी है कि आदिवासियों का युद्ध सत्ता प्राप्ति के लिए नहीं है। प्रेम और प्रेममय समाज की पुनर्स्थापना के लिए है। वन्दना इसी कारण इसके लिए 'रचाव-बचाव' शब्द का इस्तेमाल करती हैं। रचाव यानी प्रेम और बचाव यानी युद्ध। आदिवासी जीवनदर्शन का यही सार है। सभ्यता की आँधी में गैर-आदिवासी दुनिया ने प्रेम को छोड़ दिया है। खुद को विकसित कहने वाली दुनिया युद्ध के आगे नतमस्तक है। 'रचाव-बचाव' की बाँसुरी के जरिए हम साम्राज्यवादी युद्धों का नकार करें और अलौकिक प्रेम की जगह लौकिक प्रेम की पुनर्स्थापना हो, यही इन प्रेम कहानियों का मर्म है।

आभार और जोहार।

—अश्विनी कुमार पंकज

आदिवासी प्रेम कहानियाँ

चम्पा कुई और माधो सिङ

यह 'हड़प्पा काल' से भी बहुत पहले की बात है। जब 'सोना लेकान् दिसुम' (झारखंड) की खोज नहीं हुई थी और न ही 'सिङ दिसुम' (सिंहभूम) की स्थापना हो पाई थी। लेकिन सभी आदिवासी समुदाय गंगा और नर्मदा के किनारे से होते हुए दामु दह (दामोदर) के तट पर सखुआ के जंगलों में आकर बस चुके थे। तब उनमें गोत्रों का और अलग-अलग समुदायों का बँटवारा नहीं हुआ था। झूम खेती और अस्थायी बस्तियाँ बसाने के क्रम में हजारों साल पहले उनके बीच भौगोलिक स्तर पर जरूर विभाजन हो चुका था, और अब वे भिन्न-भिन्न कबीलों के रूप में रह रहे थे। परन्तु पुरानी सामाजिक व्यवस्था के अनुसार उनके सभी कबीले एक 'गण' समाज थे। मुंडा, संताल, हो, खड़िया, बिरहोड़, बिरजिया, उराँव आदि के रूप में वे बँटे हुए नहीं थे। सभी लोग खुद को 'होड़' (इनसान) कहते थे और इसी रूप में अपना परिचय देते थे। हर कबीला एक-दूसरे का सम्मान करता था लेकिन उनमें आपस में विवाह वर्जित था।

कहते हैं कि उन्हीं दिनों एक कबीले के युवक माधो सिङ का दूसरे कबीले की एक युवती चम्पा कुई से प्रेम हो गया। माधो सिङ कबीले के माँझी हाड़ाम (कबीला प्रमुख) का बड़ा बेटा था। वह दूसरों लड़कों की अपेक्षा बहुत सजीला और शिकार में माहिर नौजवान था। उसकी वीरता, तीरंदाजी और शिकार करने के तरीके की चर्चा समूचे आदिवासीगण समाज में व्याप्त थी। किसी नरभक्षी, पागल और खूँखार जानवर से निपटना होता था, तो सभी लोग माधो सिङ को ही याद करते थे।

चम्पा कुई, यूँ तो आम आदिवासी लड़कियों-सी ही थी, पर बहुत सुन्दर थी। उसकी सुन्दरता का कारण था उसकी बड़ी-बड़ी मुस्कुराती आँखें। ऐसी

आँखें जो मानो हमेशा हँसने के लिए ही बनी हों। एक दिन जब जंगल से माधो सिङ शिकार करके लौट रहा था, ठीक दोमुहाने के पास, जहाँ से एक रास्ता पहाड़ पर बसी ऊपर टोली और दूसरा रास्ता नीचे टोली की ओर जाती थी, दोनों आमने-सामने पड़ गए। जैसे ही माधो सिङ की नजरें चम्पा कुई से टकराईं, उसका दिल जोर से धड़का और फिर धड़कता ही चला गया। चम्पा उसकी आँखों में अपने लिए प्रेम देखकर सहम गई। सहेलियों का साथ छोड़ वह तेजी से अपने टोले की ओर भाग उठी।

माधो सिङ जड़वत् खड़ा उसे देखता रहा।

चम्पा की सहेलियाँ और माधो के दोस्त भी माजरा समझकर खिलखिला उठे। सहेलियों ने उन दोनों की हालत देखकर गीत गाना शुरू किया और गाते-गाते वे भी चम्पा के पीछे दौड़ीं।

बिर टोला कर माधो सिङ
हिरनी कर आँइख में फाँसलक दीदी
आँइख में फाँसलक...

माधो सिङ के दोस्तों ने भी गीत बनाकर गाया—

बिर छोंड़ा कर दिल में
गुलईची (चम्पा) कर फूल उगलक दादा
गुलईची कर फूल...

चम्पा की सहेलियों ने फिर गाया—

सिकारी फाँसलक जाल में दइया
कइसे बाँची जीवा दीदी
कइसे बाँची जीवा...

माधो सिङ के दोस्तों ने भी बिना देरी किए गाया—

सिकारी कर मूड़े गुलईची कर फूल सोभे
ए दादा गुलईची कर फूल सोभे
गुलईची कर फूल...

इसके बहुत दिनों बाद तक चम्पा फिर माधो को नहीं दिखी। लेकिन चम्पा की हँसती हुई आँखें तो उसके दिल में बस गई थीं। वह दिन-रात उससे मिलने के लिए तड़पता रहता। किसी काम में उसका मन नहीं लगता। दोस्तों से भी कटा-कटा रहता। कभी पास के झरने में तो कभी दामु दह की तेज धारा के किनारे पूरा का पूरा दिन बैठा रहता।

इधर चम्पा की हालत भी उस जैसी ही थी। इसके पहले टोले और इलाके के कई लड़कों ने उससे अपना प्रेम निवेदन जाहिर किया था। पर उसे एक भी नहीं जँचा था। इसलिए हर लड़के के प्रस्ताव पर वह सिर्फ मुस्कुराकर रह जाती। मुस्कुराते-मुस्कुराते धीमे से 'ना' कह देती। लेकिन माधो ने तो उसे सीधे-सीधे प्रस्ताव नहीं दिया था। फिर उसका दिल माधो के अनकहे प्रस्ताव से क्यों बेबस हो उठा है। वह जितना सोचती उतना ही उसके प्रेम में घिरती जाती और डरती जाती। डर इसलिए कि दोनों का विवाह सम्भव नहीं था। सामाजिक नियमों के अनुसार दो अलग-अलग कबीलों में वैवाहिक सम्बन्ध नहीं हो सकता था।

जब बहुत दिनों तक माधो सिङ चम्पा से नहीं मिल सका, तो आखिरकार एक दिन वह दोपहर को उसके घर जा पहुँचा। चम्पा के माता-पिता और गाँव के लोग उसे अपने बीच पाकर बहुत खुश हुए। उन्होंने उसकी खूब खातिरदारी की। आखिर माधो सिङ आदिवासीगण समाज का सबसे वीर और आकर्षक नौजवान था।

चम्पा के घर और गाँव वाले तो माधो का आना सामान्य तौर पर ले रहे थे। किन्तु चम्पा और माधो दोनों को इसकी असलियत मालूम थी। असहज चम्पा को डर लग रहा था कि कहीं माधो प्रेम में कुछ ऐसी-वैसी बात न कर दे। ऐसा सोचकर वह उसका पूरा खयाल रख रही थी।

मौका देखकर माधो ने चम्पा को एकान्त में पकड़ लिया। चम्पा उसकी बाँहों में कसमसाने लगी।

माधो बोला—'हमारी पकड़ से कोई नहीं छूटता...तुम जानती हो हम क्यों आए हैं।'

चम्पा के होंठ अभी-अभी खिले कोंपलों की तरह हिल रहे थे। वह चुप रही।

माधो—'हम जानते हैं, तुम्हारे दिल में भी मेरे प्यार का तीर चुभा है। मैं भी तुम्हारी आँखों की हँसी से घायल हूँ। दोनों का उपचार एक ही है। कल दोपहर बेला में मैं झरने के पास तुम्हारा इन्तजार करूँगा।'

कहकर उसने चम्पा को अपनी बाँहों के घेरे से बाहर कर दिया। उसकी देह वैसे ही थरथरा रही थी, जैसे भूकम्प आने पर धरती की देह थरथराती है।

माधे सिङ शाम होने से पहले चला गया।

दूसरे दिन सुबह-सुबह ही माधो झरने पर जा पहुँचा। चम्पा से अपने प्रेम का इजहार कर देने के लिए वह बेताब था। लेकिन दोपहर हुई, शाम हुई और दिन रात की गोद में लुढ़क गया। चम्पा नहीं आई। माधो सिङ की तड़प और बढ़ गई।

चम्पा से मिलने की आस उसने फिर भी नहीं छोड़ी। वह हर दिन झरने पर आता। चिकनी चट्टानों पर बैठकर, रेत पर लेटकर, चित पड़ा आसमा़न की शून्यता में डूबते-उतरते उसके इन्तजार में पूरा दिन गुजार देता। उसका दिल कहता था वह जरूर आएगी।

और सचमुच एक दिन चम्पा आ ही गई।

चम्पा के आते ही समूचा वातावरण निस्तब्ध हो गया। कहीं कोई आवाज नहीं, हलचल नहीं। बस वे थे और था दोनों के धड़कते हुए दिलों का शोर।

माधो सिङ ने अपनी बाँहें फैलाई और चम्पा उनमें समा गई।

इश्क नहीं छुपता। जल्दी ही लोगों को उन दोनों के प्रेम का आभास हो गया। दोनों को उनके दोस्तों और सहेलियों ने समझाया। पर प्रेम कहाँ किसी की सुनता है। उसकी गति इतनी तेज होती है कि समझाने वाले नदी के किनारों की तरह पीछे छूटते चले जाते हैं।

बसंत के मौसम में जब धरती और जंगल सज-सँवर चुके थे, एक दिन माधो सिङ चम्पा के घर जा पहुँचा। चम्पा के माता-पिता सशंकित हो उठे। ऊपर से सामान्य औपचारिकता दिखाते हुए उन्होंने स्वयं को संयमित बनाए रखा। माधो सिंङ ने बिना लाग-लपेट के कह दिया—

'हम चम्पा से जोड़ा बनाना चाहते हैं। आप अपने बगीचा का गुलईची फूल हमको दे दो। वो हमारा परिवार-कुल का बारी (घरेलू खेत) में जीवन भर खिला रहेगा।'

चम्पा का बाबा (पिता) बहुत सोच-विचार के बाद बोला, 'फूल तो होता ही है, घर-परिवार को सजाने के लिए। हमारे परिवार का गुलईची फूल तुमको पसन्द है, यह हमारे परिवार और कबीले के लिए बहुत अच्छी बात है। लेकिन

तुम जानते हो बेटा, हमारा और तुम्हारा कबीला अलग है। हम लोग तुम्हारे प्रस्ताव पर विचार करेंगे और कुटुम्ब-कबीला में राय करने के बाद जो भी फैसला होगा तुम्हारे कबीले को बता देंगे।'

चम्पा की माँ ने उसका माथा चूमा फिर उससे बोली, 'मेरी बेटी का जोड़ी तुमसे बनेगा, इससे खुशी की बात और क्या होगी। तुम थोड़ा धीरज रखो। हम लोग जल्दी ही तुम्हारे घर आएँगे।'

कुछ दिन बाद चम्पा के माँ-बाबा अपने कबीले के प्रमुख लोगों के साथ माधो सिङ के घर आए। दोनों परिवारों और उनके कबीलों के प्रमुख लोगों में बात हुई। फैसला आया—दोनों का विवाह नहीं हो सकता।

यह फैसला सुनकर माधो बौखला गया। उसकी हालत पागलों जैसी हो गई। उसके बाबा ने उसको समझाया, 'देखो बेटा, जो समाज का नियम है उसे मानना पड़ता है। पुरखों का नियम हम लोग नहीं तोड़ सकते। तुम्हारे लिए लड़कियों की क्या कमी है। एक से एक सुन्दर लड़कियाँ हमारे कबीले में मौजूद हैं। तुम जब कहो, तुम्हारा जोड़ा उससे भी सुन्दर लड़की से बना देंगे। चम्पा का विचार दिल से निकाल दो।'

माधो सिङ कुछ नहीं बोला, बस तड़पकर रह गया। उसकी दुनिया तो बसंत में खिलने से पहले ही मुरझा गई थी।

बहुत जल्दी ही यह खबर समूचे आदिवासीगण समाज में फैल गई कि उनका सबसे सजीला, साहसी और जाँबाज शिकारी अधमरा हो गया है। चम्पा के विरह में उसने खाना-पीना छोड़ दिया है और करीब एक कुड़ी (बीस) दिनों से वह बिस्तर पर गुमसुम पड़ा हुआ है।

इक्कीसवें दिन माधो सिङ बिस्तर से उठा। लड़खड़ाता हुआ झरने तक पहुँचा। जी भरकर निर्मल-शीतल जल में नहाया। झरने के इठलाते पानी का आनन्द लिया, फिर सज-सँवर कर चम्पा के घर जा पहुँचा।

चम्पा फौरन आकर उससे लिपट गई। चम्पा के माँ-बाप ने दोनों के मिलने में कोई रुकावट नहीं डाली। वे दोनों, उनका पूरा परिवार और उनके कबीले वाले खड़े-खड़े आलिंगनबद्ध प्रेमी जोड़े को बस देखते रहे।

चम्पा को अपनी बाँहों में लिये-लिये ही माधो सिङ घायल बाघ की तरह

दहाड़ा, 'हम नहीं मानते कबीले के इस नियम को। मैं बताने आया हूँ, अगले पूरे चाँद की रात को आऊँगा और चम्पा को ले जाऊँगा। जिसमें हिम्मत हो, हमको रोक ले। मैं चम्पा के बिना नहीं जी सकता।'

माधो सिङ चला गया, लेकिन उसकी आवाज गूँजती रही—'अगले पूरे चाँद की रात को आऊँगा और चम्पा को ले जाऊँगा। जिसमें हिम्मत हो, हमको रोक ले...'

अभी चाँद के घटने के दिन थे।

माधो सिंङ के कबीले को छोड़कर सभी कबीलों के लोग एक दिन गुप्त रूप से मिले और इस समस्या पर बातचीत की। कोई भी दोनों को जोड़े के रूप में देखने के लिए राजी नहीं था। नौजवान लोग माधो सिङ से लड़ने को उतावले थे। कुछ कबीलों के मुखियाओं की भी इसी तरह की राय थी। परन्तु बूढ़े-बुजुर्ग आपस में युद्ध के लिए तैयार नहीं थे। उन्होंने सबको शान्त किया और समझाया। माधो बहुत ताकतवर है। उससे भिड़ना मौत को ललकारना है। फिर यह अच्छी बात नहीं है कि हम आपस में लड़ें। अनुभवी बूढ़ों ने फिर सबको एक रास्ता सुझाया और देर रात तक अन्ततः वे सबको समझाने में सफल हुए।

पूरे चाँद की रात वाला दिन आया। माधो सिङ ने योद्धा की तरह अपना साज-सिंगार किया और चम्पा को लाने उसके गाँव की ओर अकेले ही चल पड़ा। लेकिन जब वह उसके गाँव पहुँचा तो देखकर सन्न रह गया कि पूरा का पूरा गाँव खाली था। न जानवर न आदमी। गाँव में कोई भी नहीं था। वह दहाड़ मारकर रो पड़ा। उसकी धड़कनें बन्द हो गईं और वह धम्म से जमीन पर गिर पड़ा। उसकी हालत एक ऐसे योद्धा की थी जिसके सामने कोई दुश्मन नहीं था, पर वह पराजित था।

मालूम नहीं माधो सिङ मर गया या बचा।

इतिहासकार सैम तोपनो के अनुसार इस प्रेम कहानी का अन्त आदिवासियों के सामुदायिक विभाजन से जुड़ा है। उनके अनुसार माधो सिङ की

घोषणा के बाद सभी कबीलों ने आपसी युद्ध न हो, ऐसा सोचकर रातों-रात दामोदर घाटी छोड़ दिया था। माधो सिङ के कबीले को छोड़कर वे सब स्वर्णरेखा नदी की तरफ चले आए थे। इधर यानी आज के झारखंड में जहाँ वे सभी कबीले अलग-अलग दिशाओं में बसे। इस तरह एक आदिवासीगण समाज में अनेकों अलग-अलग समुदाय बन गए। मानवविज्ञानियों ने कालान्तर में जिन्हें अलग-अलग नामों से पुकारा। जैसे—मुंडा, हो, खड़िया, संताल, बिरजिया, असुर आदि-आदि। माधो सिङ का कबीला, जो वहीं पहाड़ पर रह गया था, वह बिरहोड़ कहलाया। आज के अनुमान से चम्पा सम्भवतः मुंडा अथवा संताल युवती थी।

(चम्पा नाम और पूरी कहानी गढ़ी हुई है, परन्तु इस प्रेम कथा की ऐतिहासिकता का स्रोत सैम तोपनो द्वारा लिखित इतिहास में सूत्र रूप में मौजूद है।)

चान्दमुनि और नाग राजकुमार

'सोना लेकान् दिसुम' (सोना जैसा देश) की खोज हो चुकी थी और सिङबोङ (आदिवासियों का सर्वोच्च आराध्य) के आदेश पर मुंडा आदिवासी समुदाय को सुतियाम्बे में रहते हुए वर्षों बीत चुके थे। सुतियाम्बे मुँड़हर पहाड़ के नीचे और जुमार नदी के किनारे बसा हुआ था। चारों ओर सखुआ के घने जंगल थे। जंगलों में बाघ, भालू, हाथी जैसे जानवरों का भी डेरा था। पर आदिवासी और जानवर दोनों अपनी-अपनी सीमा के भीतर रहते। कोई किसी की सीमा का अतिक्रमण नहीं करता। मदरा मुंडा सभी मुंडा आदिवासी गोत्रों का सर्वोच्च मुखिया यानी मानकी था।

सर्दी में दिन छोटे हो जाते हैं। सूरज देर से निकलता है और जल्दी डूब जाता है। एक ऐसे ही छोटे दिन में दो लोग सुतियाम्बे पहुँचे। उनमें एक नौजवान था और दूसरा अधेड़। दोनों आदिवासी नहीं मालूम हो रहे थे क्योंकि उनका रंग-रूप आदिवासियों से बिलकुल अलग था। अधेड़ गेहुँए रंग का था जबकि नौजवान की रंगत थोड़ी हल्दी मिली सफेदी जैसी थी। दोनों बहुत थके-माँदे थे और उनके चेहरे कुम्हलाए हुए थे।

जैसे ही उन दोनों ने सुतियाम्बे गाँव में प्रवेश किया लोगों की आँखें आश्चर्य से बड़ी-बड़ी हो गईं। आज तक मुंडा आदिवासियों ने उनकी तरह का कोई आदमी नहीं देखा था। हैरत में पड़े लोग तुरन्त उन दोनों अजनबियों के अगल-बगल जुट गए और आपस में उनके बारे में बातें करने लगे। उन दोनों व्यक्तियों को आदिवासियों की भाषा नहीं आती थी, इसलिए वे भी अचरज में पड़े और चुपचाप खड़े उन सबको देख रहे थे।

अधेड़ आदमी, जो जाति से हिन्दू ब्राह्मण था, जिसने माथे पर लाल रंग का

टीका लगा रखा था, वे गमछे से अपना पसीना पोंछते हुए नौजवान से कहा, 'महाराज, यह तो कोल लोगों की बस्ती मालूम होती है।'

'हाँ, गुरुकुल में आचार्य ने बताया था कि गंगा से दक्षिण के बीहड़ों में असभ्य जंगली जातियों का वास है।'

'तो, हमारी यात्रा सफल हुई।' ब्राह्मण के चेहरे पर मुस्कान थी।

'शायद हाँ।' कहकर नौजवान ने भीड़ पर निगाह डाली और बोला, 'हमें इनके राजा या प्रधान का घर मालूम करना चाहिए। आश्रय तो वही देगा।'

ब्राह्मण ने हाँ में सिर हिलाया।

काफी मशक्कत के बाद आखिरकार वे दोनों मुंडाओं के सरदार मदरा मुंडा के पास पहुँच सके। भाषा नहीं जानने से कितनी मुश्किलें होती हैं, इसे वे दोनों पहली बार महसूस कर रहे थे।

मदरा मुंडा का घर गाँव के बीचोबीच था। घर मिट्टी से बना था जिस पर चटाईनुमा पत्तों की छत थी। गाँव में जितने भी घर थे, सब एक समान थे। किसी भी घर में कोई दरवाजा नहीं था। उन्हें बस्ती में जितने लोग दिख रहे थे, मुर्गियाँ, बतखें और सूअर उससे कम नहीं दिख रहे थे। लोग लगभग नंग-धड़ंग थे और उनकी देह पर नाममात्र का वस्त्र था। बस जननांगों को ढकने जितना। स्त्रियों का शरीर कोमल, सुडौल और आकर्षक था तो पुरुषों की देह गठीली और कठोर-सी थी। नाक-होंठ मोटे-मोटे, बाल लम्बे-लम्बे और घुँघराले।

'ई तो राजा का घर जैसा लगता ही नहीं है।' ब्राह्मण ने नौजवान से कहा। उसकी चौकस आँखें बारीकी से पूरे गाँव और वातावरण का मुआयना कर रही थीं।

'दिख तो दूसरे घरों जैसा मामूली ही लग रहा है।' नौजवान ने हामी भरी। फिर कुछ सोचकर बोला, 'अब तो जो हो, जैसा हो, टिकना तो यहीं है। आखिर कब तक भागते फिरेंगे।' नौजवान की आवाज में बेचैनी और पीड़ा दोनों थी।

'ठीक कहते हैं महाराज।' ब्राह्मण गहरी साँस लेकर बोला।

तभी मदरा मुंडा के घर से निकलकर एक सोलह-सतरह साल की लड़की उनके पास आई और उनके आगे पानी भरा एक छोटा-सा घड़ा रख दिया।

नौजवान की नजर लड़की के चेहरे पर टिकी हुई थी। वह बिलकुल साँवली

थी। उसने अपनी कमर में एक छोटा-सा सूती का कपड़ा लपेट रखा था। पोखरे जैसी उसकी देह पर दो कमल खिले हुए थे।

हाथ-मुँह धोकर और पानी पीने के कुछ समय बाद जब दोनों नींद के कारण जम्हाई ले रहे थे, एक अच्छे डील-डौल वाला आदिवासी उनके सामने आकर खड़ा हो गया। दूर बैठे आदिवासी उसके आते ही खड़े हो गए थे और उसे 'जोअर' कहा था। लोगों के अभिवादन की मुद्रा से उन दोनों को अनुमान हो गया कि शायद यही आदमी उन सबका राजा है। इसलिए वे दोनों भी हड़बड़ाकर तुरन्त खड़े हो गए और झुककर उसे प्रणाम किया। जवाब में मानकी मदरा मुंडा ने भी उन्हें 'जोअर' कहा।

इसके बाद इशारों में उनकी बातचीत हुई जिसका आशय था कि वे दोनों दूर देश के यात्री हैं। कलिंग देश उनको जाना है। लेकिन वे दोनों बुरी तरह से थक गए हैं सो कुछ दिनों के लिए आश्रय चाहते हैं, ताकि आराम कर सकें और फिर अपनी यात्रा जारी रख सकें। अधेड़ आदमी ने खुद को नौजवान का पुरोहित और नौजवान को नागदेश का राजकुमार बताया।

उनकी बातें समझने के बाद मदरा मुंडा ने अपने लोगों से राय की और इशारे से कहा कि वे लोग जितने दिन चाहें यहाँ रुक सकते हैं।

अगले दो दिनों के भीतर ही मदरा मुंडा के निर्देश पर गाँव वालों ने उसी कटहल पेड़ के नीचे लकड़ी और घास-फूस का एक घर खड़ा कर दिया। उन्हें चटाई, घड़ा और मिट्टी के कुछ बरतन वगैरह भी दे दिए।

दोनों व्यक्ति मुंडाओं के इस आवभगत और सहयोग से बहुत प्रभावित हुए। उन्होंने तो इस तरह के आश्रय और स्वागत की कल्पना भी नहीं की थी।

दोनों को वहाँ रहते हुए करीब महीना भर हो गया। इस बीच उन दोनों ने मुंडा आदिवासियों की एक-एक गतिविधि और क्रियाकलापों का अच्छी तरह से अध्ययन किया। गाँव में कितना धन-धान्य है, जेवर और कीमती धातुएँ और पत्थर कितने हैं, मवेशी धन कितना है और हथियार किस-किस तरह के व कितने हैं आदि-आदि।

उन्हें आश्चर्य हुआ कि यहाँ न तो किसी की कोई व्यक्तिगत संपत्ति है और न ही किसी प्रकार का धन है। कुछ भी जमा करके रखने की आदत भी नहीं है। सभी लोग मिलजुल कर झूम खेती करते हैं, शिकार पर जाते हैं और नाच-गाकर आनन्दपूर्वक जीते हैं। इनका कोई दुश्मन भी नहीं है। हथियार और औजार के

नाम पर इनके पास टाँगी, कुल्हाड़ी, हँसिया और तीर-धनुष है। बहुत संतोषी लोग हैं, उतना ही जुटाते हैं जितनी जरूरत है।

'ये लोग तो बहुत भोले हैं महाराज। हमारी दुनिया के हिसाब से मूर्ख।' ब्राह्मण हँसते हुए बोला। 'कोई भी इन्हें आसानी से ठग सकता है।'

दोपहर का समय था और दोनों इस समय खा-पीकर अपनी झोंपड़ी में लेटे आराम कर रहे थे।

'बहुत पवित्र और निर्मल आचरण है इन कोलों का।' करवट बदलकर कहा नागदेश के राजकुमार ने। 'काश! हमारा राज-समाज भी इनकी तरह होता, तो...'

'तो?' ब्राह्मण ने जिज्ञासा जाहिर की।

'तो हमें इस तरह से मारे-मारे फिरना न पड़ता। अपना राजपाट गँवाकर दर-दर न भटकना पड़ता। उस हत्यारे जनमेजय ने हम नागवंशियों को कहीं का नहीं छोड़ा।'

'आगे क्या विचार है महाराज?'

'देखिए पुरोहित जी, इससे अच्छी जगह दुनिया में कहीं और नहीं हो सकती। यहाँ हम स्थायी रूप से कैसे टिक पाएँ, इसी का कोई उपाय निकालना होगा।'

ब्राह्मण उठकर बैठ गया। फिर कुछ सोचते हुए कुटिल ढंग से बोला, 'स्थायी तौर पर यहाँ रह जाना बहुत आसान है महाराज। सोचना यह चाहिए कि हम यहाँ टिक भी जाएँ और इनकी मदद से अपना राज भी स्थापित करें।'

'चाहते तो हम भी यही हैं। लेकिन हम दो इन लोगों से कैसे पार पा सकते हैं। ये लोग भोले जरूर हैं पर साहसी बहुत हैं।'

'मेरे पास एक योजना है।'

'कहिए।'

'अगर आप किसी तरह इन कोलों के राजा मदरा की बेटी को पटा लें, तो एक बूँद खून बहाए बिना हम इन पर राज कर सकते हैं।'

ब्राह्मण की यह राय सुनते ही नागदेश के राजकुमार का मुखमंडल क्रोध से तमक गया। बोला, 'आप होश में तो हैं। मैं नागवंश का क्षत्री कोल की लड़की से सम्बन्ध बनाऊँगा?'

राजकुमार की बात सुनकर ब्राह्मण ठंडा रहा। उसने कोई प्रतिक्रिया नहीं दी। कुछ पल बाद उसने समझाने के अन्दाज में राजकुमार से कहा, 'आप अभी

बिना ताज के राजकुमार हैं। अपने देश और नगर लौटने की कोई उम्मीद नहीं बची है। वीर भोग्या वसुन्धरा। बीर वही है जो भोगने की ताकत रखता है। और वंश तो बीज का होता है धरती का नहीं। वर्ण संकरता को लेकर चिन्तित मत होइए। जरा ठंडे दिमाग से सोचिए राजकुमार। बिना युद्ध किए अगर हमें अपना राज स्थापित करना है तो इसके अलावा और कोई रास्ता नहीं है।'

कहकर चुप हो गया ब्राह्मण।

राजकुमार उलझन में था। वह तय नहीं कर पा रहा था कि उसे ब्राह्मण की बात माननी चाहिए या नहीं। वैसे, ब्राह्मण का कहना ठीक था। याचना से जीने लायक कुछ पाया जा सकता है लेकिन छल से सब कुछ।

ब्राह्मण फिर बोला, 'मेरी उमर हो गई है महाराज। उसके योग्य होता तो मैं खुद ही उसे अपने प्रेमपाश में जकड़ लेता।'

राजकुमार ने कुछ नहीं कहा। वह गहरी सोच में डूबा हुआ था।

इस बातचीत के बाद से नौजवान राजकुमार ने अपनी दिनचर्या बदल ली। अब वह सुबह-सवेरे उठ जाता और किसी न किसी आदिवासी के संग उसके खेत में जाकर काम करता। काम तो वह छोटे-मोटे ही करता लेकिन लोगों को लगता कि वह बहुत मेहनत कर रहा है। ऐसा करने के पीछे उसका मकसद मदरा मुंडा की बेटी चान्दमुनि के इर्द-गिर्द डोलना होता था। अब तक वह और उसका ब्राह्मण साथी दोनों कुछ-कुछ उनकी भाषा सीख चुके थे। इसलिए जब-तब मासूम बनकर ब्राह्मण चान्दमुनि से बतियाने भी लगता।

धीरे-धीरे चान्दमुनि उससे खुल गई।

जब चान्दमुनि के साथ उसकी अच्छी दोस्ती हो गई, तब एक दिन मौका पाकर नौजवान राजकुमार ने उसके सामने अपने प्रेम का इजहार कर दिया। चान्दमुनि उसका प्रस्ताव सुनकर सहम गई। उसने इनकार में अपना सिर हिलाया और कहा कि उसके साथ उसका जोड़ा नहीं बन सकता है।

पर नौजवान ने आशा नहीं छोड़ी। वह बराबर उसके पीछे लगा रहा। उसे अक्सर अपने प्रेम की दुहाई देता और कहता कि उसके बिना वह जी नहीं पाएगा।

शायद वह बारिश का मौसम था जब एक दिन उसकी तड़प देखकर चान्दमुनि का खुद पर बस नहीं रहा और वह उसकी बाँहों में समा गई। नौजवान

तो मानो इसी पल की तलाश में था। उसने एक क्षण भी नहीं गँवाया और चान्दमुनि को अपनी बाँहों में ऐसा भींचा, ऐसा भींचा कि कई दिनों तक वह खुद की ही नजरों से छुपती रही।

उस दिन रात को नौजवान राजकुमार ने दम भर महुए की शराब पी और नशे में रात भर जाने क्या-क्या बकता रहा। इस षड्यंत्रकारी प्रेम-मिलाप से ब्राह्मण बहुत आनन्दित था। वह भी महुए के नशे में पूरी रात श्लोक और मंत्र बुदबुदाता रहा था।

इस घटना के लगभग दो महीने बाद, जब सर्दियाँ शुरू होने वाली थीं एक दिन चान्दमुनि ने नौजवान को अकेले में पकड़ा और अपने पेट पर उसका हाथ रख दिया। नौजवान को उसके पेट में कुछ रेंगता-सा महसूस हुआ। उसने कान लगाकर सुना। भीतर गर्भ में कोई जीव कुलबुला रहा था। उसने खुशी से चान्दमुनि को देखा। चान्दमुनि का चेहरा भय से पीला पड़ा हुआ था। राजकुमार ने उसके माथे को चूम लिया।

बोला, 'यह तो बहुत खुशी की बात है। तुम बिलकुल मत घबराओ।'

'बाबा नहीं माने तो?' चान्दमुनि ने आशंका जताई।

'मानेंगे कैसे नहीं। तुम देखना, मैं उनको कैसे राजी करता हूँ।' कहकर वह खुशी से झूम उठा। चान्दमुनि को अपनी बाँहों में उठा लिया और नाचने लगा।

चान्दमुनि अपना भय भूल गई।

दूसरे दिन सुबह-सुबह ब्राह्मण और नौजवान मदरा मुंडा के घर उससे मिलने गए। दोनों ने उसको 'जोअर' किया और आँगन में जहाँ मदरा मुंडा लकड़ी काट रहा था खामोशी से बैठ गए।

दोनों को इस तरह से गुमसुम देख मदरा मुंडा ने पूछा, 'बोलो, कोई काम है क्या? या यात्रा पर जाने का मन हो गया है?'

ब्राह्मण बोला, 'आप लोगों ने हमें इतना मान-सम्मान दिया कि पता ही नहीं चला कैसे एक साल बीत गया।'

'तो किस दिन जाने का विचार है?' मदरा मुंडा ने फिर पूछा।

'जाने का विचार तो था, पर अब लगता है नहीं जाएँगे।' ब्राह्मण थोड़ा धीमे से बोला।

'क्यों? कोई परेशानी है?'

'परेशानी तो कुछ नहीं मुंडा जी, बस राजकुमार का दिल लग गया है आप लोगों से।'

'सीधा-सीधा बोलो, क्या बात है?' मदरा मुंडा कुल्हाड़ी रखकर उन दोनों के सामने बैठ गया।

ब्राह्मण ने सोचा भूमिका बाँधने से कोई मतलब नहीं। सीधे कह देना ही अच्छा रहेगा। सो धड़कते हुए दिल से बोला, 'हमारे राजकुमार को आपकी बेटी चान्दमुनि पसन्द आ गई है। उससे शादी करना चाहते हैं।'

ब्राह्मण की बात सुनकर मदरा मुंडा को गुस्सा तो बहुत आया पर संयत रहते हुए ही उसने कहा, 'तुम लोग मेहमान बनकर आए। मेहमान की तरह ही चले जाओगे तो अच्छा रहेगा।'

'हम लोग चले जाएँगे तो आपको मुसीबत हो जाएगी।'

ब्राह्मण की बात सुनकर असमंजस में पड़ गया मदरा मुंडा। वह समझा नहीं कि उनके जाने से भला उसको क्या परेशानी हो जाएगी। हँसते हुए बोला, 'तुम लोगों के जाने से हमको कैसे दिक्कत हो जाएगी?'

'आपकी बेटी और हम जोड़ा बना लिए हैं। उसके पेट में हमारा जीव पल रहा है।' अब तक चुपचाप बैठे नौजवान ने हिचकते हुए कहा।

'तुम होश में तो हो।' मदरा मुंडा चीखा।

'हम लोग होश में हैं मुंडा जी, आप ही बात को नहीं समझ पा रहे हैं।' ब्राह्मण ने मदरा मुंडा को समझाया।

मदरा मुंडा खामोश हो गया।

यह खबर जल्दी ही समूचे मुंडा इलाके में फैल गई। किसी बाहरी आदमी से मुंडा समाज की औरत के सम्बन्ध का यह पहला मामला था। हर तरफ एक ही चर्चा थी। अब क्या होगा। गोत्र और पड़हा (कई ग्राम सभाओं का संघ) के लोग क्या फैसला करेंगे। सगोत्रीय विवाह तो वर्जित था, लेकिन बाहरी खून से मिलना, इस बारे में तो कभी किसी ने सोचा ही नहीं था।

चान्दमुनि ने नौजवान से कहा, 'तुम हमको अपना देस ले चलो। मेरे कारन यहाँ सब परेसान हैं। हमको तुमसे प्रेम नहीं करना चाहिए था।'

नौजवान ने उसके गाल को थपथपाया और बोला, 'प्रेम करना कोई गलत

बात नहीं है। मैंने तुमसे प्रेम किया है। तुमको नहीं छोड़ सकता। तुम्हारे साथ यहीं रहूँगा।'

'हर लड़की जोड़ा होने के बाद ससुराल जाती है। हमको अपने घर ले चलो। यहाँ रहकर अपने बाबा और परिवार को दुखी नहीं देख सकती।'

'तुम चिन्ता मत करो...सब ठीक हो जाएगा।'

'नहीं, कुछ ठीक नहीं होगा। अपने घर लेकर चलो।'

चान्दमुनि नौजवान से जिद करती रही ससुराल ले जाने के लिए और नौजवान उसे टालता रहा। उसका कोई घर-बार तो बचा नहीं था, जहाँ वह उसे ले जाता। इसलिए झूठ पर झूठ बोलकर आखिर उसने चान्दमुनि को सुतियाम्बे में ही रहने के लिए राजी कर लिया।

लेकिन चान्दमुनि ने भी एक शर्त रख दी। बोली वह अब अपने पिता के घर नहीं रहेगी। उसी के साथ उसके झोंपड़ी में रहेगी। इस शर्त को मानने में नौजवान को कोई परेशानी नहीं थी। उसने हाँ कर दिया।

दूसरे दिन चान्दमुनि सुबह-सुबह ही नौजवान के यहाँ चली गई।

(कहते हैं इसी के बाद आदिवासी समाज में 'ढुकु विवाह प्रथा' की शुरुआत हुई। 'ढुकु विवाह' यानी लड़की का अपने प्रेमी के घर जाकर रहने लगना। हालाँकि यह कल्पित कहानी है, परन्तु इस आशय की प्रेम कहानी का जिक्र मुंडा लोक कथाओं में मिलता है, जिसके अनुसार मदरा मुंडा की बेटी और एक नागवंश के व्यक्ति में प्रेम हुआ था। इन्हीं दोनों का बेटा जवान होने पर ब्राह्मण की कूटनीति और छल से मदरा मुंडा का नया उत्तराधिकारी घोषित हुआ। उसका नाम फणिमुकुट राय था जिसने छोटानागपुर यानी आज के झारखंड में नागवंश की नींव डाली।)

बुन्दी और सन्दु

आज के राँची-टाटा सड़क पर तैमारा घाटी उतरने से पहले जंगल में थोड़ी दूर चलने के बाद एक खूबसूरत झरना है 'दाः सोङ' (दशम)। काफी ऊँचाई से गिरने वाला यह झरना काँची नदी की अनुपम प्राकृतिक कृति है। इस नदी और झरने के दोनों ओर मुंडा आदिवासियों के गाँव हैं। सैकड़ों साल पहले बरसात के दिनों में जब काँची नदी पानी से लबालब हो जाती थी तो दोनों तरफ के गाँव एक-दूसरे के सम्पर्क से कट जाते थे। उफनती हुई नदी और उसकी तेज धारा के कारण नदी को पार करना असम्भव हो जाता था। बहुत जरूरी हुआ तो मीलों चक्कर काटकर लोग नदी पार किया करते थे। लेकिन अब सड़कें बन गई हैं, पुल भी बन गया है, इसलिए पहले जैसी मुश्किल नहीं रही। तो जब अंग्रेजों का आगमन झारखंड में नहीं हुआ था, नदी और दा सोङ झरने को बरसात के दिनों में पार करना असम्भव था, यह कहानी उन्हीं दिनों की है।

कहते हैं दा सोङ झरने के उस पार के किसी गाँव का एक मुंडा युवक, जो बहुत सजीला, सुरीला, चुटीला और रंगीला था, रीझरंग का रसिया और सुन्दरता का रसिक था, पूरे मुंडा इलाके में बहुत लोकप्रिय था। सबके चहेते उस बीस-बाईस वर्षीय युवक का नाम सन्दु था। लोग उसे प्यार से छैला सन्दु या सिर्फ छैला भी कहते थे।

सन्दु रूप और गुण दोनों में छैला था। वह हर तरह का नाच घंटों नाच सकता था। बिना रुके हुए कई दिनों तक गा सकता था और कोई सा भी बाजा हो, लगातार बजा सकता था। वह जब अखड़ा (पारम्परिक सांस्कृतिक स्थल) में उतरता था, तो फिर वही दिखता था, दूसरा कोई नहीं।

वह तलवारबाजी हो या कि तीरंदाजी, दोनों में माहिर था। उसकी कुल्हाड़ी

के सामने खूँखार से खूँखार जानवर भी नहीं ठहर पाते थे। इतना वीर था कि निहत्थे बाघ-भालू को पछाड़ देता था। और तेज इतना कि चीता भी उसका मुकाबला नहीं कर सकता था। वह अकेले कई एकड़ खेत कोड़-जोत और रोप लेता था। कहने का अर्थ यह कि वह इस कदर रसिक था, कलावंत था, साहसी और रूपवान था कि उसकी जोड़ के किसी आदमी की कल्पना करना मुश्किल है।

छैला सन्दु के रसिकपने के कारण इलाके की सारी जवान लड़कियाँ उस पर जान छिड़कती थीं। उसे मन ही मन चाहती थीं। ऐसी कोई भी लड़की शायद समूचे मुंडा इलाके में नहीं थी, जिसके मन में छैला को पाने की चाह नहीं हो। सन्दु सबके दिल में था और सारी लड़कियाँ सन्दु के दिल में थीं। वह हर लड़की से प्यार करता था, किसी भी लड़की के प्रेम की चाह को उसने कभी नहीं ठुकराया, समान भाव से स्वीकार किया। यह बात हर एक लड़की को पता थी, क्योंकि वह उनसे साफ-साफ कहता था—'मुझे तुम्हारा प्यार स्वीकार है। मैं जिंदगी भर वैसे ही प्यार करूँगा जैसे बारिश धरती से करती है। फतिंगे रोशनी से करते हैं। पर याद रखना, मेरा प्यार बन्धन नहीं है। खुला है। यदि तुम्हें बँधा हुआ प्यार चाहिए, ठहरा हुआ साथ चाहिए, तो किसी से शादी कर लो। मैं तब भी तुमको प्यार करूँगा। मेरे प्यार में 'गोन्दली' (सरसों जैसा भूरा छोटा-सा अन्न) भर भी कमी नहीं आएगी।'

एक मुंडा पुरखा कथा के अनुसार तब परम्परा थी कि कोई लड़की किसी लड़के को चाहती है, या कोई लड़का किसी लड़की को चाहता है, दोनों ने एक-दूसरे के प्रेम प्रस्ताव को दिल से मान लिया है, तो लड़की अपने प्रेमी के नाम की एक कंघी अपने जूड़े में लगा लेती थी। यह कंघी विशेष रूप से अपने प्रेम को और वह किसी को चाहती है, इसको अभिव्यक्त करने के लिए ही वह खुद बनाती थी और जूड़े में लगाए रखती थी। अगर किसी लड़की के जूड़े में विशेष डिजाइन वाली कंघी है, इसका मतलब हुआ कि वह लड़की किसी के साथ 'इंगेज' है।

तो इस प्रसंग से जुड़ा किस्सा यह है कि उस समय इलाके की सारी लड़कियों के जूड़े में विशेष डिजाइनों वाली कंघियाँ थीं। यानी सब की सब जवान अविवाहित लड़कियाँ किसी के प्रेम निवेदन को स्वीकार कर चुकी थीं। अचम्भे में डालने वाली बात यही थी कि सारी लड़कियों का प्रेमी एक ही था—छैला सन्दु!

व्यक्ति की लोकप्रियता जहाँ उसके अनगिनत प्रशंसकों को जन्म देती है, वहीं न चाहने वाले भी खर-पतवार की तरह उग आते हैं।

ऐसा ही छैला सन्दु के साथ भी हुआ।

आदिवासी कथाकार मंगल सिंह मुंडा के अनुसार उन दिनों तमाड़ का राजा विक्रम सिंह था। उसका सूबेदार हाकिम सिंह था। हाकिम सिंह की चार बेटियाँ थीं। सबसे छोटी बेटी का नाम बुन्दी था जो बला की खूबसूरत थी। छैला सन्दु की मुलाकात एक बार बुन्दी से किसी हाट-मेला में हुई और वह उसके प्रेम में पड़ गया।

छैला सन्दु का नाम तो पूरे परगने में प्रसिद्ध था ही, इसलिए जैसे ही सन्दु ने अपना प्रेम प्रस्ताव उसके सामने प्रकट किया, बुन्दी ने बिना कुछ सोचे-विचारे स्वीकार कर लिया। प्रेम की सघनता में वे दोनों बिलकुल भूल गए कि उनका मिलन असम्भव है। क्योंकि हाकिम सिंह कभी दोनों के विवाह के लिए राजी नहीं होगा। हालाँकि यह बात साफ थी कि सन्दु रसिक के मन में विवाह की कोई कामना नहीं थी। वह तो सिर्फ प्रेम करने के लिए बना था, जिन्दगी भर किसी के साथ बँधने के लिए नहीं।

हाकिम सिंह का निवास दाः सोङ झरने के उस पार था। बरसात के दिनों में जिसे पार करना असम्भव हो जाता था। लेकिन सन्दु के दिल की तड़प ऐसी कि वह उफनती हुई नदी और दाः सोङ झरने को बिना किसी भय के बान्दु लताओं के सहारे पार करता और रातों-रात बुन्दी से मिलकर सुबह होने से पहले अपने गाँव लौट आता।

सन्दु और बुन्दी के प्रेम की सुगन्ध जल्दी ही पूरे इलाके में फैल गई। हर तरफ सूबेदार हाकिम सिंह की बेटी बुन्दी और मुंडा आदिवासी रसिया सन्दु के प्यार से जुड़ी तरह-तरह की कहानियाँ गपशप का हिस्सा बन गईं।

हाकिम सिंह को यह बात नागवार गुजरी। उसने अपने महल पर पहरा बढ़ा दिया, दीवारों को और ऊँचा किया, बेटी का कमरा अभेद्य बना दिया, लेकिन सन्दु को बुन्दी से मिलने से रोकने में नाकामयाब रहा। तब गुस्से में आकर हाकिम सिंह ने सन्दु के परिवार वालों पर कहर ढाना शुरू किया। उसके सिपाहियों ने सन्दु का गाँव उजाड़ दिया। लोगों पर बेइंतहा जुल्म ढाए। परन्तु प्यार किसी दमन से रुका है क्या!

इसी समय राजघराने की ओर से हर वर्ष की तरह सालाना उत्सव हुआ।

इस सालाना उत्सव में तरह-तरह के आयोजन होते थे, जिसमें एक से एक वीर और जाँबाज लोग अपने हैरतअंगेज करतबों से लोगों को दाँतों तले उँगली दबाने पर विवश कर देते थे। नौजवानों के कला-कौशल, युद्ध और पराक्रम की प्रतियोगिताएँ भी इस सालाना उत्सव का विशेष आकर्षण होती थीं। जिन्हें देखने के लिए आसपास के सभी परगनों के लोग जुटा करते थे।

छैला सन्दु को न चाहने वालों में सिर्फ हाकिम सिंह ही नहीं था, वे सब नौजवान भी थे जो उससे जलते थे। जलते इसलिए थे कि सारी लड़कियाँ उससे ही प्रेम करती थीं। सब लड़कियों ने चूँकि अपने जूड़े में उसके नाम की ही कंघी लगा रखी थी, इसलिए रिवाज के मुताबिक वे उन्हें प्रेम प्रस्ताव दे ही नहीं सकते थे। छैला से ईर्ष्या का कारण यही था।

सालाना उत्सव का दिन जैसे ही करीब आया अपनी बेटी और सन्दु के सम्बन्ध से गुस्साए और दोनों के मिलन को अब तक रोकने में नाकाम रहे हाकिम सिंह ने एक नया पैंतरा चला। उसने घोषणा की कि जो वीर नौजवान इस बार के उत्सव में होने वाली प्रतियोगिताओं में विजेता बनेगा, वह अपनी सबसे प्यारी बेटी बुन्दी का विवाह उसके साथ कर देगा।

हाकिम सिंह की यह घोषणा आग की तरह चारों ओर फैली और उत्सव में सिर्फ तमाड़ राज के वीर ही नहीं, बल्कि दूर-दूर के दूसरे राज्यों से भी अनेक नौजवान बुन्दी को पाने की चाहत में अपनी किस्मत आजमाने तमाड़ आ पहुँचे।

सन्दु तो छैला था। रसिक था। साहसी था। मौत को मात देने वाला अद्भुत योद्धा था। उसके सामने भला कौन टिकता! सब हारे। सभी पराजित हुए। उत्सव की प्रतियोगिताओं में सन्दु विजेता घोषित हुआ।

बुन्दी खुश थी। हाकिम सिंह की हालत चोट खाए हुए साँप की तरह थी। पर क्योंकि उसने घोषणा कर रखी थी, वह अपने वायदे से मुकर नहीं सकता था। उसकी प्रतिष्ठा दोनों हालत में खराब ही होनी थी। शादी स्वीकार करने पर और अस्वीकार करने पर भी। लेकिन सन्दु ने अपने प्रेम का उत्सर्ग कर दिया। भरे आयोजन में कहा कि 'उसका प्रेम सच्चा है। वह बुन्दी से बेहद प्यार करता है। हमेशा करता रहेगा। परन्तु वह शादी तभी करेगा जब उसके पिता दिल से मान जाएँ। और अगर उसके पिता मुझसे शादी के लिए राजी नहीं हैं, तो मैं उन्हें उनकी घोषणा से मुक्त करता हूँ।'

इसके कुछ ही दिनों बाद हाकिम सिंह ने अपनी बेटी बुन्दी की शादी उसकी इच्छा के विरुद्ध एक राजकुमार से कर दी। बावजूद इस विवाह के, दोनों का प्रेम बना रहा।

बारिश के दिन आ गए थे। हालाँकि अभी बादलों ने पूरी तरह से बरसना शुरू नहीं किया था। पर काँची नदी पहाड़ों से अब तक उतर रहे पानी से पूरी तरह से भर चुकी थी। दाः सोङ झरना विकराल हो चला था। इन्हीं दिनों झरने के उस पार एक गाँव में बड़ा अखड़ा सजा।

सन्दु उस अखड़ा में भला कैसे नहीं पहुँचता।

बान्दु लताओं के सहारे वह विकराल दाः सोङ झरने को पारकर अखड़ा में पहुँच ही गया। उस रात अखड़ा में उसका प्रदर्शन अद्वितीय था।

इधर उससे जले-भुने कुछ युवकों ने हाकिम सिंह की बात मानकर बान्दु लताओं को काट दिया और उन्हें इस तरह से जोड़ दिया कि वे कटी हुई नहीं दिखाई दें।

रात भर अखड़ा में नाचने-गाने के बाद जब सूरज के निकलने से पहले ही सन्दु झरने के पास पहुँचा और लताओं के सहारे उफनती हुई नदी और झरने को पार करने के लिए कदम बढ़ाया, काटी गई लतरों ने उसका साथ नहीं दिया। सन्दु झरने में डूबकर मर गया।

कहते हैं दाः सोङ झरना से तभी से सन्दु के मान्दर और नगाड़े की आवाज सुनाई देती है। झरने का शोर ऐसा मालूम होता है मानो एक साथ कई मान्दर और नगाड़े बज रहे हों। यह भी किंवदंती है कि जब सन्दु की मृत देह मिली और मुंडा रीति-रिवाज से उसके अन्तिम संस्कार का समय आया, तो लकड़ी से उसकी देह राख नहीं हुई। उसकी देह जली उन अनगिनत कंघियों से, जिसे इलाके की सारी लड़कियों ने उसके प्रेम में अपने-अपने जूड़े में खोंस रखा था।

(इस प्रेम कहानी को विस्तार से मंगल सिंह मुंडा के उपन्यास 'छैला सन्दु' में पढ़ा जा सकता है। यह उपन्यास 2004 में राजकमल प्रकाशन, दिल्ली से प्रकाशित हुआ है।)

मूँगा और ललित

1831-32 की बात है। गुड़बाजपुर में एक बहुत सुन्दर खेलड़िन यानी नाच-गान का पेशा करने वाली रहती थी। उसका नाम मूँगा था। गीत, संगीत, कविताई और नृत्य में उसकी जोड़ का तब पूरे छोटानागपुर (झारखंड) में कोई नहीं था। उसके गले में कोयल थी और पैरों में मोरनी। वह मैना की तरह तुरन्त गीत रच सकती थी, तो कबूतर के आँखों की तरह समूचे देह को नचा सकती थी। वह ऐसी गजब की सुन्दरी थी कि लोग उसकी एक झलक पाने के लिए जान देने पर उतारू रहते थे।

छोटानागपुर के महाराजा भी उसके रूप की गमक और धमक से घायल थे तथा उसके प्रेम के आकांक्षी थे। लेकिन मूँगा का दिल ससियापुर के दारोगा ललित राम से लगा हुआ था।

खेलड़िन औरतें मूलत: गैर आदिवासी समाज की रसिकता की देन थीं। जैसे झारखंड से बाहर के राज्यों में नवाब, सामन्त, राजा लोग अपने और दरबारियों के मनोरंजन के लिए तवायफों को पालते थे, उन्हें संरक्षण देते थे, वैसे ही छोटानागपुर के जमींदार राजा लोग खेलड़िन रखते थे। ये खेलड़िनें नगर वधुएँ होती थीं, जिन्हें निजी प्रेम की सामाजिक इजाजत नहीं थी। उन्हें हमेशा सामन्तों अथवा प्रभु वर्गों में से ही किसी एक को चुनना पड़ता था। दारोगा ललित राम की हैसियत भी प्रभु वर्ग की ही थीत।

इतिहास में ऐसी कई खेलड़िनें हैं जिन्होंने अपने पेशे के बावजूद खुद को एक पुरुष के प्रति समर्पित रखा। मूँगा भी एक ऐसी ही खेलड़िन और कलाकार थी। उसने पूरे मन और दिल से ललित राम दारोगा को अपना मान लिया था। ललित राम भी मूँगा से उतना ही प्यार करता था। वह उसके प्यार

में इस कदर पागल था कि हमेशा उसके ही घर में पड़ा रहता था। इससे उसकी पत्नी और उसके घरवाले चिढ़े हुए थे। वे उन दोनों के प्रेम को तनिक भी पसन्द नहीं करते थे।

मूँगा की खूबसूरती और उसकी कला के कद्रदानों की कमी नहीं थी। उस समय के अधिकांश धनी-मानी और आम लोग तक उसके दीवाने थे। मूँगा के समय के सुप्रसिद्ध नागपुरी कवि भी उसकी सुन्दरता के लोभ से नहीं बच पाए हैं। उन्होंने मूँगा के रूप, यौवन और कलाकारी पर गीत की रचना तक कर दी है। मूँगा को समर्पित अपनी कविता में कवि हनुमान सिंह ने लिखा है—

मूँगा उमंग अनंग लजाय,
उन्हके मति गति कहल न जाय।

ललित राम के कुलगुरु नरहरि दास थे। जब वे गुड़ुबाजपुर आए तो अपने शिष्य ललित राम के भी घर गए। घरवालों से उन्हें मालूम हुआ कि ललित राम तो दिन-रात खेलड़िन के घर में पड़े रहते हैं। उनकी पत्नी कुलगुरु के सामने रोने लगी। कहने लगी, 'उस खेलड़िन ने तो उसका पति-सुख छीन लिया है। सधवा होने का एहसास वह भूल चुकी है। आप गुरु हैं, समझाइए उनको। अब आपका ही आसरा है।'

ललित राम के घरवालों ने भी उनसे शिकायत की और आग्रह किया। वे उसे खेलड़िन मूँगा के मोहपाश से निकालने में मदद करें। वे लोग तो कोशिश कर-करके हार चुके हैं।

अपने प्रिय शिष्य की इस मति-गति पर नरहरि दास बहुत कुपित हुए। उन्होंने ललित राम की पत्नी और उसके परिवार को ढाढ़स बँधाते हुए कहा, 'मैं आ गया हूँ। तुम लोग चिन्ता मत करो। मैं उसे हर हाल में मूँगा के मोहजाल से बाहर निकाल लाऊँगा।'

कुलगुरु के इस आश्वासन ने उनके घावों पर शीतल मलहम का काम किया।

कुछ दिन आराम करने और अन्य भक्तों से मिलने के बाद एक दिन कुलगुरु नरहरि दास मूँगा के आवास जा पहुँचे। गुरु को आया देख ललित राम तुरन्त उनके सामने हाजिर हुए और उनकी आवभगत की।

कुलगुरु ने कहा, 'तुम स्वस्थ हो और आनन्द से हो यह देखकर अति प्रसन्नता हुई शिष्य। परन्तु यह शोभा देने वाली बात नहीं है कि तुम अपनी पत्नी और घरवालों को छोड़ यहाँ पड़े हुए हो। यह मेरे लिए भी बहुत लज्जाजनक है ललित। मैं तुम्हें आदेश देता हूँ कि तत्काल इस कुलटा का साथ त्यागकर अपने घर रहो।'

प्रियतमा मूँगा के लिए 'कुलटा' शब्द सुनकर ललित राम को तनिक भी अच्छा नहीं लगा। पर कुलगुरु को वे कुछ नहीं कह सकते थे। मन मसोसकर रह गए।

ललित बोले, 'आपकी बात सांसारिक दृष्टि से उत्तम है। परन्तु क्षमा कीजिएगा गुरुदेव, मेरा सम्बन्ध मूँगा से केवल सांसारिक नहीं है। वह मेरी आत्मा है और मैं उसकी आत्मा।'

'शब्दों का वाग्जाल मुझ पर न चलाओ ललित। मैं तुमसे शास्त्रार्थ करने नहीं आया हूँ। गुरु होने के नाते मेरा कर्तव्य है कि मैं तुम्हें, तुम्हारे परिवार और कुल को निम्नतर होने से बचाऊँ।'

'प्रेम तो महानतम अवस्था है गुरुदेव, वह निम्नतर कैसे हुई?'

'तुम उसके रूपजाल में अन्धे हो गए हो। इसीलिए अपने कुलगुरु से एक मामूली स्त्री के लिए तर्क करना चाह रहे हो।'

'नहीं गुरुदेव, मैं तो आपकी शिक्षा के अनुरूप ही अपनी बात कहने का प्रयत्न कर रहा हूँ। तर्क करूँ, वह भी आपसे? ऐसी धृष्टता भला मैं कैसे कर सकता हूँ।'

बातें करते-करते शाम हो गई।

कुलगुरु नरहरि दास ने ललित राम को बहुत समझाया पर वह नहीं माना। तब वे क्रोधित हो उठे।

बोले, 'दुष्ट, जो गुरु की बात नहीं सुनता है वह नरक का पापी होता है। यदि तुमने मूँगा का साथ नहीं छोड़ा तो मैं अन्न-जल ग्रहण नहीं करूँगा। यहीं अपने प्राण त्याग दूँगा और तुम ब्रह्म हत्यारे कहलाओगे।'

ऐसा कहकर कुलगुरु नरहरि दास ने मौन धारण कर लिया और वहीं आसन लगाकर जम गए।

ललित राम धर्मसंकट में फँस गए। एक तरफ गुरु का हठ है, तो दूसरी तरफ उनकी आत्मा। करें तो क्या करें?

मूँगा परदे की ओट से उन दोनों का वार्तालाप सुन रही थी। जब मानसिक तौर पर बुरी तरह से उद्वेलित और धर्मसंकट में पड़े ललित राम मूँगा के पास पहुँचे तो निःशब्द थे। उन्होंने अपना सिर हौले से मूँगा की गोद में रख दिया और गहरी चिन्ता से आँखें बन्द कर लीं।

मूँगा ने ललित राम के बालों में हाथ फेरते हुए बोली, 'आपको चिन्तित होने की कोई जरूरत नहीं है। वे आपके कुलगुरु हैं। आपकी पत्नी और परिवार वालों को वचन देकर आए हैं कि आपको घर वापस ले आएँगे। आप उनका मान रख लीजिए नाथ।'

'नहीं मूँगा, मुझसे इस जीवन में ऐसा नहीं हो सकेगा।' आँखें बन्द किए-किए ही ललित ने उदास होकर कहा।

'हमारा और आपका प्रेम लोग नहीं समझ पा रहे हैं। हमारे प्रेम को वासना से अलग देखने की समझ ही नहीं है नाथ। मुझे कोई फर्क नहीं पड़ता कि आप मेरे पास सशरीर हैं या नहीं।'

'यह तुम समझती हो, मैं समझता हूँ। दुनिया नहीं समझती। मैं यहाँ इसलिए नहीं पड़ा रहता कि भोग की लालसा है। इसलिए रहता हूँ कि बोटियाँ नोचने वाले तुमसे दूर रहें। तुम्हारी रक्षा का दायित्व है मुझ पर...'

'देह का क्या है नाथ। इस नश्वर काया से इतना मोह ठीक नहीं। आप मेरी चिन्ता तनिक भी न करें। गुरु की बात मान लें।'

'दिल नहीं मानता मूँगा...'

'मेरे लिए दिल को मना लीजिए। हाँ, लेकिन गुरुदेव से एक आग्रह जरूर कीजिए...'

'आग्रह? कैसा आग्रह?'

'यही कि जाने से पहले आप एक बार 'महारास' का आयोजन करेंगे और उसमें कुलगुरु मेरा आतिथ्य स्वीकार कर उपस्थित रहेंगे।'

मूँगा से मिली इस सलाह के बाद ललित राम दारोगा गुरु की सेवा में उपस्थित हुए। करबद्ध प्रार्थना करते हुए ललित राम बोले, 'गुरुदेव, आपकी आज्ञा स्वीकार है इस दास को। परन्तु एक विशेष आग्रह है...'

कुलगुरु ने भेदी नजरों से कुछ पल तक थाह लेने का यत्न किया कि ललित राम का 'विशेष आग्रह' क्या हो सकता है। फिर बोले, 'कहो, क्या आग्रह है तुम्हारा?'

'यहाँ से जाने के पहले बस एक बार 'महारास' का आयोजन करना चाहता हूँ।'

'ठीक है, इससे मुझे कोई आपत्ति नहीं।'

'और आपको महारास के इस आयोजन में मूँगा का आतिथ्य स्वीकार करना होगा।'

'कदापि नहीं। मैं एक पातक का आतिथ्य नहीं स्वीकार कर सकूँगा।' भड़क गए कुलगुरु अपने शिष्य की बात सुनकर।

'तो फिर मुझसे भी घर जाना नहीं हो पाएगा गुरुदेव।'

'अच्छी तरह से विचार कर लो ललित। तुम अपने गुरु पर अनुचित दबाव डाल रहे हो।'

'नहीं गुरुदेव, दबाव नहीं, बस आग्रह। विनम्र अनुरोध। प्रभु श्रीराम ने भी शबरी के जूठे बेर ग्रहण किए थे।'

कुलगुरु निरुत्तर हो गए। लाचार होकर बोले, 'जैसी तुम्हारी इच्छा। तुम्हारी पत्नी और परिवार का कल्याण मेरा अभीष्ट है...इसलिए मैं तुम्हारी प्रेयसी का आतिथ्य स्वीकार करता हूँ।'

ललित राम ने करीब सप्ताह भर की तैयारी के बाद मूँगा के भव्य प्रासाद में 'महारास' का आयोजन किया। मूँगा राधा बनी और ललित कृष्ण। इस 'महारास' के एकमात्र दर्शक अतिथि थे कुलगुरु नरहरि दास।

कहते हैं वह महारासलीला इतनी दिव्य थी कि गुरुजी भी मूँगा के अद्वितीय प्रेम समर्पण, भक्तिभाव और अलौकिकता के आत्मप्रकाश के प्रभाव से बच नहीं पाए। गीत-संगीत और नृत्य के इतने बेजोड़ और सजीव संगम का उन्होंने इससे पहले कभी साक्षात्कार नहीं किया था। वे जिस राधा और कृष्ण के आत्मिक प्रेम को केवल शास्त्रों में वर्णित किस्सों, छंदों, गीतों और भक्ति माहात्म्य के द्वारा जानते थे, वह उनके सामने प्राणवान था। उन्हें लगा वे साक्षात् राधा-कृष्ण के दर्शन कर रहे हैं। उनके हाथ स्वत: जुड़ गए। कंठ से भक्तिरस फूट पड़ा। समूची देह लय में बँध गई। फिर क्या था। कुलगुरु भी अपना सुध-बुध खोकर महारास का हिस्सा बन गए। आनन्दमग्न हो नाचने लगे। दोनों का साथ देते हुए रास करने लगे।

महारास करते-करते कब सुबह हो गई इसका भान कुलगुरु को हो ही नहीं पाया। वे तो बस भावविभोर हो नृत्य किए जा रहे थे। थकान का कहीं नामोनिशान नहीं था, गुरु के मन और शरीर पर। तब मूँगा हाथ जोड़कर खड़ी हो गई। कुलगुरु से रास बन्द करने की अनुमति माँगी।

मंत्रमुग्ध नरहरि दास को तब जाकर होश आया। उन्होंने अचकचाकर और अतृप्त भाव से मूँगा को देखा। बोले, 'माँ राधे, यह तो महारास है। भला इसे बन्द करने की आज्ञा देने वाला मैं कौन होता हूँ।'

'मुझ पातक और नीच स्त्री को इतना मान दें कुलगुरु। मैं इसकी हकदार बिलकुल नहीं हूँ। आपकी आज्ञा हो तो महारास बन्द करना चाहूँगी।'

'नहीं देवी, किसने कहा तुम पातक हो, अधम हो। जो ऐसा कहते हैं, वे मूढ़मति वाले होंगे। मैंने तुममें भगवती राधा को देखा है। अतृप्त हूँ अभी तक उस दैवरूप से। तुम्हारी लीला से। यह रास बन्द नहीं होना चाहिए। मैं तुम्हारे चरणों में हूँ राधे। रास मत बन्द करो।' कहते-कहते सचमुच कुलगुरु नरहरि दास मूँगा के पैरों पर झुक पड़े।

इस स्थिति में असहाय होकर मूँगा ने ललित को देखा। ललित ने इशारे से कहा, गुरु की इच्छा का मान रख लो।

मूँगा का महारास फिर से शुरू हो गया...

...और बिना किसी व्यवधान के कई दिनों तक चलता रहा।

इस रास के दौरान नरहरि दास ने नागपुरी में रासलीला के अनेक गीतों की रचना की।

यह मूँगा और ललित राम दारोगा का अपूर्व प्रेम ही था जिसने कुलगुरु नरहरि दास जैसे संत को भी प्रेम के रास में डुबो दिया था।

इस इतिहास के जानकारों के अनुसार कुलगुरु ने फिर कभी ललित राम को घर लौट जाने के लिए नहीं कहा। मूँगा और ललित, दोनों का प्रेम यूँ जन्म-जन्मान्तरों तक बना रहे, ऐसा आशीर्वाद देकर वे लौट गए।

परन्तु विधि को कुछ और स्वीकार्य था। संवत् 1880 में दारोगा ललित राम की मृत्यु हो गई। ललित राम की मृत्यु होते ही मूँगा अकेली हो गई, अनाथ हो

गई। रक्षक के जाते ही अनेक चाहने वाले उसके प्रासाद का चक्कर काटने लगे। लेकिन कोई उस पर हाथ डालता, इससे पहले ही छोटानागपुर के महाराजा, जो मूँगा पर बुरी तरह से आसक्त थे, उसे जबरन उठाकर ले गए। मूँगा, जो अपने प्रियतम कृष्ण ललित की राधा थी, सिर्फ छोटानागपुर महाराज के अन्तःपुर में खेलड़िन बनकर रह गई।

लोग छोटानागपुर के महाराज की इस करतूत से गुस्से में थे। कवि हनुमान सिंह ने लोगों के इस सर्वव्यापी गुस्से को अपनी कविता में इस तरह से व्यक्त किया है—

ऐसी खबरी पाय,
नाथ उपेन्द्र धाय,
आये ससियापुर धूम मचाय।
बहुत छल बल करि,
हेरि लीहल नारी,
कहे हनुमान मोहिं न सोहाय।

गुड़ुबाजपुर के मूँगा की यह प्रेम कहानी अभी भी लोगों की यादों में जिन्दा है।

हूल का फूल

सूरज थोड़ा-सा पश्चिम की तरफ झुक गया था। महाजन की उस तराजू की डंडी की तरह जो हमेशा एक तरफ झुकी ही रहती है।

बैशाख आ गया था, लेकिन धूप अभी भी जेठ की तरह कड़ी थी। रेल लाइन बिछाने का जहाँ काम चल रहा था वहाँ पेड़ों का अस्तित्व नहीं बचा था। काम में लगे आदिवासी पसीने से तर-बतर थे और उनके होंठ पपड़िया गए थे। कई लोगों की काली-साँवली देह पर खारा पसीना सूखकर नमक की तरह जम गया था। भूख से उनकी अँतड़ियाँ ऐंठ रही थीं, लेकिन हंटर की मार के भय से लोग हाड़तोड़ मेहनत किए जा रहे थे।

मूरला संताल को जब लगा कि वह प्यास के मारे दम तोड़ देगा, तो उसने गैंता जमीन पर पटक दिया और अंग्रेज सिपाहियों की परवाह किए बिना पानी के ड्रम की ओर दौड़ा। उसने मग में पानी भरा और गटगट गले से उतारने लगा। अभी मूरला ने कुछ ही घूँट पानी पिया होगा कि सिपाही ने सट से उसके चूतड़ पर हंटर चला दिया। दर्द से बिलबिला उठा मूरला। पलटकर देखा। बिहारी सिपाही था। उसने फिर से पानी पीना शुरू किया कि और एक हंटर। इस बार हंटर चूतड़ की कुछ खाल साथ ले गया था।

मूरला ने मग एक ओर फेंका और पलटकर सिपाही को हुमचकर एक लात मारी। इस जवाबी हमले के लिए सिपाही बिलकुल तैयार नहीं था। वह चितान गिर पड़ा। मूरला उछलकर उसकी छाती पर चढ़ बैठा और दोनों हाथों से दनादन पिल पड़ा। जब तक दूसरे सिपाही उसके पास पहुँचते, उसे रोकते और पकड़ते, मूरला ने उसकी अच्छी-खासी गत बना दी थी।

रेलवे ट्रैक की निर्माणाधीन साइट पर वहाँ दस से ज्यादा सिपाही नहीं थे। आदिवासी मजदूरों की संख्या जबकि कम से कम डेढ़ सौ थी। उनके तेवर देखकर दस सिपाहियों ने मौके पर चुप रहना ही बेहतर समझा। सिर्फ दो-चार डंडे मारकर मूरला को अलग कर दिया।

मेठ ने भी स्थिति को सँभालने की खातिर तुरन्त भोजनावकाश की घंटी बजा दी। सभी आदिवासी मजदूर मूरला को अपने साथ लेकर भोजन करने की तैयारी में लग गए।

पानी भात खाते हुए मूरला ने साथियों से कहा, 'बहुत हो गया। अब ये दिकु (बाहरी) लोग खतरा से नहीं बच सकेगा। सिदो परगना तैयारी में लगा हुआ है।'

हेन्दे गाँव तरफ का मुरमू बोला, 'तुमको होस रखना चाहिए। समय से पहले गुस्सा करोगे तो सब पानी-पानी हो जाएगा। तुम हम सबका माँझी हो। तुम ही को तो अगुआई के लिए चुना है सबने।'

'पानी को पी रहे थे। पियास नहीं सहा गया...इसलिए। देखो, चमड़ा उखाड़ दिया मेरा।' मूरला ने 'भागवा' (लँगोट) हटाकर दिखाया।

पास बैठी बाहालेन ने उसके ताजा घाव देखकर दर्द से आह भरी। आह के साथ ही उसका हाथ अपनी छाती पर चला गया। जहाँ कल ही रात अंग्रेज ठेकेदार मिस्टर थॉमसन के दाँतों से बने जख्म थे। पीठ और चूतड़ों पर हंटरों के निशान थे। जिसे उसके अलावा कोई और नहीं जानता था।

होजु ने फुसफुसाकर कहा, 'कान्हु खबर सकम भेजा है। कहना है कि गोटा संताल लोग तैयार हो गया है। जल्दी ही सिदो परगना हूल (युद्ध) का झंडा गाड़ेगा।'

जोबा, जिसकी उम्र बीस से ज्यादा नहीं होगी, ने बताया, 'आयो होड़' (औरत) लोग भी तैयार हैं। हम अपना उमर का 'पोन गेल' (40) आयो होड़ को चुने हैं हूल के लिए।'

सबकी बातें सुनने के बाद मूरला माँझी मजबूत स्वर में धीरे से ही बोला, 'ठाकुर जीउ का राज आएगा। संताल लोग दिकु जुलुम और जादा दिन नहीं सहेगा। ई हम लोग का दिशोम (देश) है।'

सिपाहियों ने दूर से देखा। लोग झुंड में सिर जोड़कर खाना खा रहे थे। ये लोग रोज ऐसे ही खाते हैं। सोचकर उन्होंने कोई नोटिस नहीं ली। उनको नहीं

मालूम था खाने के इस अवकाश में वे लोग उनके सामने ही उनको खत्म करने की योजना बना रहे थे।

शाम को हमेशा की तरह मूरला की बाँसुरी की आवाज रेलवे कम्पनी के अहाते में गूँज रही थी। जैसे दिन में कुछ हुआ ही नहीं हो और आगे भी सब कुछ शान्त-शान्त रहने वाला है। यह मूरला की रोज की आदत थी। काम से लौटने के बाद जहाँ दूसरे आदिवासी अपनी थकान मिटाने के लिए आराम करते या नदी की ओर निकल पड़ते थे, वह अपनी टीन की छोटी-सी कोठरी के आगे बैठकर बाँसुरी बजाया करता था।

उसकी बाँसुरी जब तक बजती रहती मिस्टर थॉमसन की 18-19 साल की बेटी जेली अपने बँगले के बरामदे में खड़ी रहती। मगन होकर वह तब तक सुनती जब तक कि बाँसुरी की आवाज बन्द नहीं हो जाती। सुनने का यह उसकी प्रतिदिन की रूटीन था। मूरला को इस बात की खबर नहीं थी कि महाअत्याचारी थॉमसन की बेटी उसकी बाँसुरी इस तन्मयता के साथ सुनती है। परन्तु जेली को पता था कि यह बाँसुरी मूरला बजाता है।

उस दिन बाँसुरी की धुन में कुछ अलग किस्म की मीठी कसक थी। दिल को चीरने वाली, जिसमें मीठापन था तो दर्द भी था। जेली से नहीं रहा गया। वह बँगले से बाहर निकली और मजदूरों के लिए बनी कुली लाइन की ओर चल पड़ी। उसकी माँ मिसेज थॉमसन को पता नहीं चला। सिर्फ बँगले के बन्दूकधारी चौकीदार को उसके जाने का पता था। जिससे जेली ने कहा था कि वह उसकी चिन्ता नहीं करे, थोड़ी देर में ही वह लौट आएगी।

जेली को अपनी ओर आता देख मूरला ने बाँसुरी बजाना बन्द कर दिया। उसे अंग्रेजों, उनके सिपाहियों, कम्पनी के सब लोगों से गहरी नफरत थी। जो संताल 'होड़' (इनसान) लोगों से जानवरों का सलूक करते थे।

जेली उसके करीब आकर रुक गई। उसने अपने ब्लाउज में हाथ डालकर कुछ निकाला और उसकी ओर बढ़ा दिया। अँधेरा हो चुका था इसलिए कुली लाइन के मजदूर अपने दड़बों में थे।

मूरला ने अनिच्छा से उसकी ओर देखा और मुँह फेर लिया।

जेली अब उसके बिलकुल करीब आ गई। उसने उसके दाहिने हाथ में वह सामान रख दिया। 'मलहम है। घाव पर लगाना। आराम मिलेगा। मुझे दुख है कि

हमारे लोग जानवरों-सा बरताव करते हैं।' उसकी आवाज में सच्ची सहानुभूति थी।

मूरला ने आहत भरी नजर उस पर डाली और मलहम के ट्यूब को तीव्र घृणा के साथ फेंक दिया। जेली का चेहरा रुआँसा-रुआँसा हो गया। वह उलटे पाँव तेजी से अपने बँगले की ओर दौड़ पड़ी।

अगले तीन दिनों तक जेली को मूरला की बाँसुरी की आवाज सुनाई नहीं दी। मालूम करने पर जानकारी मिली कि उसी रात, जिस दिन दोपहर में मूरला ने सिपाही पर हमला किया था, सिपाही लोग उसे उसके पिता के आदेश पर उठा ले गए थे। उसे खूब पीटा और अधमरा कर उसके क्वार्टर में पटक आए थे। साँस भी तकलीफ से ले पा रहा मूरला भला बाँसुरी कैसे बजा पाता। जेली उन दिनों खूब रोई। मिस्टर और मिसेज थॉमसन नहीं जान पाए उनकी प्यारी बेटी को क्या हो गया था।

मिस्टर थॉमसन रेलवे के बड़े ठेकेदार हैं। उनकी कम्पनी के पास ही रामपुर हाट के संताल इलाके में रेलवे लाइन बिछाने का ठेका है। थॉमसन की कलकत्ता के वायसराय हाउस के अंग्रेज अधिकारियों के बीच बहुत पैठ है और इज्जत भी। उनकी कम्पनी ने भारत में जहाँ-जहाँ भी ठेका लिया है, नियत समय के भीतर उसे पूरा किया है। वहीं, संतालों के बीच थॉमसन की छवि एक खूँखार जानवर की है, जो संतालों की जान और उनके इलाके की धन-सम्पदा और औरतों का भूखा है। कोई भी संताल उसे अच्छा नहीं मानता। हाँ, इधर के जमींदारों, महाजनों, पुलिस अधिकारियों, बड़े व्यापारियों और भागलपुर के कलेक्टर व कमिश्नर से उसकी खूब पटती है।

मिस जेली, थॉमसन की दूसरी सन्तान है। उससे बड़ा एक भाई है, जो ब्रिटिश फौज में है, और इन दिनों बॉम्बे में नियुक्त है। यहाँ तिनपहाड़ में थॉमसन अपनी पत्नी और एक मद्रासी नौकरानी के साथ रहते हैं। जेली लंदन में अपने दादा-दादी के साथ रहती है। वह हावर्ड यूनिवर्सिटी में ग्रेजुएशन की स्टूडेंट है और छुट्टियाँ बिताने पिता के पास आई है। इसके पहले मद्रास और कलकत्ता में जब मिस्टर थॉमसन का ठेका था, तब भी वह भारत आ चुकी थी। जेली के लिए यह पूरा आदिवासी माहौल नया है। पिता की खराब आदतें, उनका लोभी चरित्र, मजदूरों के साथ गुलामों जैसा और अमानवीय व्यवहार, उसको बिलकुल पसन्द नहीं है। वह पिता से इन सब मुद्दों पर जब-तब तीखी बहस

करती। लेकिन मिस्टर थॉमसन हमेशा हँसकर उसे टाल देते। आदिवासी मजदूरों को उसने कई अवसरों पर छोटी-मोटी मदद करने की कोशिश की, पर वे लोग अन्य अंग्रेजों की तरह ही उस पर अविश्वास करते थे। वे उसकी हर सहायता को ठुकरा देते हैं।

शायद वह दो जुलाई थी। जब अचानक उसके पिता ने रेलवे के सभी अधिकारियों, पुलिस प्रमुख और सुरक्षा के प्रभारी की आपात बैठक बुलाई। खबर थी कि यहाँ से 56 मील दूर पश्चिम में दो दिन पहले, यानी 30 जून को भोगनाडीह गाँव में सिदो नामक एक संताल लीडर ने बड़ी सभा की है। उस सभा में दामिन-ए-कोह के सम्पूर्ण इलाके के संताल भारी संख्या में जमा हुए थे। कोई 10 हजार से ज्यादा लोग। उस सभा में सिदो ने घोषणा की है कि ठाकुर जीउ (संतालों के सर्वोच्च ईश्वर) ने उसे आदेश दिया है कि संताल लोग अपने देश से अंग्रेजों को बाहर कर ठाकुर राज की पुनर्स्थापना करें। उस सभा के बाद सिदो ने एक लिखित आदेश भागलपुर के जिला कलेक्टर और अन्य सभी अंग्रेज उच्चाधिकारियों को भेजा है, जिसमें चेतावनी दी गई है कि वे लोग जितनी जल्दी हो दामिन-ए-कोह छोड़कर चले जाएँ। अन्यथा ठाकुर के आदेश की तामील के लिए संताल लोग बाध्य होंगे। प्रशासन ने इसके बाद सभी प्रशासनिक केन्द्रों, थानों और महत्त्वपूर्ण व्यापारिक ठिकानों को सतर्क रहने और विद्रोह की सम्भावना के मद्देनजर हरसम्भव उपायों के लिए तैयारी करने का 'अलर्ट' जारी किया था। जेली के पिता मिस्टर थॉमसन ने यह आपातकालीन बैठक इसी वजह से बुलाई थी।

अगले दो-तीन दिनों के भीतर उसके पिता ने रेलवे निर्माण ऑफिस को सुरक्षा की दृष्टि से पूरी तरह से चौकस कर दिया। मुर्शिदाबाद के नवाब की सहायता से उसने 1600 अतिरिक्त बरकंदाजों की नियुक्ति की। रेलवे निर्माण ऑफिस अहाता एक छावनी में बदल गया।

11 जुलाई की सुबह-सुबह ही मूरला के नेतृत्व में करीब एक हजार से ज्यादा संतालों की हथियारबन्द सेना ने धावा बोल दिया। अधिकांश संताल तीर-धनुष, टाँगी से लैस थे, तो चार-छह बन्दूकें भी उनके पास थीं, जो शायद रात में ही उन्होंने थाने से लूटी थीं।

ज्योंही हमला हुआ सारे के सारे भाड़े के बरकंदाज जान बचाकर भाग निकले। अंग्रेज सिपाहियों की संख्या ज्यादा नहीं थी, पर उन्होंने दम भर मुकाबला

किया। संताल टिड्डी दल की तरह उन पर छाए हुए थे। उन्होंने किसी को मौका ही नहीं दिया। सभी सिपाही मारे गए। बचे शायद वही लोग होंगे, जो भाग पाने में कामयाब हुए।

मिस्टर थॉमसन अपनी रायफल के साथ उनका सामना करने के लिए तैयार थे। उनके मुँह से भगोड़े बरकंदाजों के लिए गालियाँ निकल रही थीं। बँगले में उनके अलावा सिर्फ चार बन्दूकधारी सुरक्षा सिपाही थे।

मिसेज थॉमसन कँपकँपाते होंठों से बार-बार जीसस को याद कर रही थीं। मद्रासी नौकरानी, जो अधेड़ उम्र की थी, वह क्रॉस थामे एकदम शान्त थी। मृत्यु का वरण करने के लिए।

जेली चीख-चीख कर पिता को समर्पण करने के लिए समझा रही थी। वह बार-बार उनका बन्दूक पकड़ लेती। थॉमसन जबड़े भींचकर उसका हाथ झटक देते। धकियाकर उसे कमरे में ठेल देते।

'प्लीज डैडी, अंडरस्टैंड द सिचुएशन। आई नो मूरला वेरी वेल। वह मेरी बात जरूर मान जाएगा। प्लीज आप बन्दूक छोड़ दो।'

गुस्से में चीखकर थॉमसन कहता, 'यू डोन्ट नो एनीथिंग अबाउट दिज जंगली बर्बर फेलोज। दे आर मर्डरर। ब्रिटिश एम्पायर से फाइट करने चले हैं। चींटियों की तरह मसल दिए जाएँगे।'

अन्त में जब जेली ने चीखना और समझाना बन्द नहीं किया तो थॉमसन ने उसे बँगले के स्टोर रूम में बन्द कर दिया।

कुछ ही देर में मूरला का दल थॉमसन के बँगले को घेर चुका था। चारों सुरक्षा सिपाही कच-कच काट डाले गए। थॉमसन को बन्दूक चलाने का मौका ही नहीं मिला। मूरला के तीर ने उनके सीने को ट्रिगर दबाने के पहले ही बेध दिया था। रही-सही कसर बाहालेन की टाँगी ने पूरी कर दी। 'भट्ट' की आवाज हुई और थॉमसन के सिर के टुकड़े हो गए। भीड़ ने घर के अन्दर घुसकर बेरहमी से मिसेज थॉमसन और मद्रासी नौकरानी को भी काट डाला। घृणा इतनी जबरदस्त थी कि मार के बाद उन तीनों में से किसी की लाश को इकट्ठा कर पाना और पहचान पाना मुश्किल था।

अब समूचा रेलवे निर्माण क्षेत्र और उसकी सम्पत्ति मूरला और उसके साथियों के हवाले थी। इलाका पूरी तरह से उनके नियंत्रण में था। संताल जीत के उन्माद में थे। वे हथियार लहरा-लहरा कर नाच रहे थे। मूरला लेकिन सचेत

था। वह जानता था एक अंग्रेज बचा हुआ है। साथ के लोग रेलवे ऑफिस की ओर कूच कर गए थे ताकि नगद पैसा, हथियार वगैरह कब्जे में ले सकें। मूरला अकेला थॉमसन के बँगले में जेली को ढूँढ़ रहा था।

मूरला की नजर स्टोर के बन्द दरवाजे पर अटक गई। उसने बेधड़क स्टोर का दरवाजा खोला। सामने जेली थी। आँसुओं से भरे चेहरे के साथ। बिना किसी भय के।

'मारो, मुजको भी मार डालो।'

मूरला चुपचाप उसके सामने बैठ गया। मानो उसके सवालों और हमलों के लिए खुद की शक्ति बटोर रहा हो। उसके कपड़े खून से लाल थे।

'कायर मत बनो, मैं तुम लोगों की आजादी की लड़ाई में मरना अपनी खुशकिस्मती मानूँगी।'

मूरला के भीतर हिंसक गुस्सा भरा हुआ था। उसने जेली के बाल पकड़कर जोर से खींचा। जेली दर्द से तड़पी पर उसके मुँह से उफ तक नहीं निकली। उसकी निर्भयता ने मूरला के गुस्से को और तेज कर दिया। उसने तड़ातड़ चार-पाँच थप्पड़ उसके गालों पर दे मारे। जेली के होंठ फट गए। कोमल सुकुमार होंठों के किनारों से खून बह निकला।

घृणा से चीख पड़ा मूरला, 'लौट जाओ अपने दिशोम। इधर फिर कभी मत आना। हम संताल लोग खून पसन्द नहीं करते। अभी कुछ ही देर में हम यह इलाका खाली कर देंगे। तब तुम निकल जाना। ठाकुर का आदेश तो एक भी इंगरेज को जिन्दा छोड़ने का नहीं है। लेकिन तुम उनसे अलग हो। इसलिए छोड़ रहा हूँ।'

'तुम्हारा रहम नहीं चाहिए। मुझको मारो।' कहते हुए जेली उसके सामने कटे हुए पेड़ की तरह गिर गई। 'मैं जिन्दा नहीं रहना चाहती हूँ।'

मूरला माँझी ने घृणा से पैर झटककर उसे हटाया और तेजी से बाहर निकल गया। उस तरफ, जहाँ उसके योद्धा जीत में मगन थे।

मूरला और उसके साथियों का पड़ाव रात में पाकुड़ से सटे तोराइ गाँव की बगल के जंगल में पहाड़ी पर था। रेलवे ऑफिस से सब सामान समेटते और तैयारी करते हुए उन्हें शाम हो गई थी। जब वे तोराइ पहाड़ी पर पहुँचे, तो रात का पहला पहर बीत चुका था। योजना के मुताबिक गाँव वालों ने उनके लिए

भोजन की तैयारी कर रखी थी।

मूरला को सिदो और कान्हु दोनों भाइयों पर हैरत होती थी कि कैसे उन्होंने पूरी योजना बना रखी थी। हूल कब होगा, कैसे होगा, किसकी क्या भूमिका रहेगी, लोग किस रास्ते से हमला करने जाएँगे और किस रास्ते से लौटेंगे, कहाँ पड़ाव डालना है और कहाँ खाना मिलेगा, लाड़हाई (लड़ाई) के हथियार कहाँ मिलेंगे; ऐसा सोच पाना मामूली 'होड़' की बात नहीं है। सचमुच में सिदो ने ठाकुर जीउ का दर्शन किया है और उस पर उनका आशीर्वाद है।

कुछ ही समय बाद गाँव से खबर आई कि खाना तैयार है, सब लोग तुरन्त आकर खाना खा लें। मूरला के दल में उस समय करीब 300 लोग थे। उसने सबको जाने का इशारा किया। लोग बिना कोई आवाज किए साँप की तरह सरसराते हुए पहाड़ी से नीचे उतर चले। वह और लगभग दो दर्जन लोग पहाड़ी पर ही रह गए। हथियार और युद्ध के बाद मिले सामान की देखरेख के लिए।

संखा टुडू ने मूरला से पूछा, 'माँझी, हम लोग भागलपुर कल चलेंगे कि परसों?'

उसका सवाल सुनकर बाकी सभी लोग हँस पड़े।

'ई संखा तो एकदम बोका है।'

'कल भी नहीं, परसों भी नहीं। तीन दिन बाद पहुँचना है भागलपुर। अभी भागलपुर जाने से पहले और लोगों को भी इधर जोड़ना है।' मूरला ने उसको जवाब दिया।

'हम लोग इंगरेज साहिब सबको भगाने सकेंगे?' संखा ने ही फिर पूछा था।

'हाँ-हाँ, जरूर भगाने सकेंगे। तीन दिन बाद हम लोग तीन तरफ से भागलपुर पर हमला बोलेंगे। इधर से हम लोग, पूरब की तरफ से परतु माँझी की अगुवाई में उनका दल और भोगनाडीह की तरफ से सिदो परगना खुद। इंगरेज लोग को जरा भी मौका नहीं मिलेगा। यही योजना है।'

'और नहीं भगाने सके तो...?'

'तो क्या...! हम लोग होड़ हैं। जीतना-हारना ई संताल हूल का मतलब नहीं है। मतलब है ठाकुर जीउ का राज लाना। जो पहले से था, लेकिन इंगरेज लोग आकर उसको लूट लिया। बन्दूक-गोली से हम लोग का जीना मुसकिल कर दिया।'

बात सुनते-सुनते अचानक मूरला के एक साथी, चेरगा को अँधेरे में कुछ

दिखा। उसने सभी को इशारे से चुप रहने को कहा और खुद बाघ की तरह दबे पाँव उस ओर बढ़ा। उसके पीछे-पीछे तीन लोग और गए।

अगले ही पल जोर से 'धप्प' की आवाज हुई और इसी के साथ किसी औरत की चीख भी सुनाई दी। मूरला और बाकी लोग फौरन उठकर खड़े हो गए। किसी भी स्थिति से निपटने के लिए तैयार।

चेरगा और तीनों लोग एक औरत को उठाए लौटे। मूरला की आँखें फटी की फटी रह गई। यह तो जेली थी। वह माथा पकड़कर बैठ गया।

चेरगा ही बोला, 'यह उधर छुपकर हम लोग का बात सुन रही थी। मूरला इसको मार देना ठीक रहेगा।'

सभी ने उसकी हाँ में हाँ मिलाई।

मूरला उठकर बेचैनी से टहलने लगा।

'जादा सोचने का बात नहीं है।' जेली को हिंसक नजरों से घूरते हुए रपाज ने कहा, 'ये बच कैसे गई। इसको तो वहीं मार देना चाहिए था।'

संखा इस बीच एकदम जेली के करीब आ गया था। उसने जेली के गालों को छुआ। उसकी देह पर हाथ फेरा। उसकी बालों को सूँघा। फिर खुश होते हुए बोला, 'हम कभी नहीं कोई दिकु आयो होड़ (बाहरी औरत) को छूए थे। ई तो हम लोग का औरत जन का तरह ही है। खेत का माटी जैसा गीला-गीला।'

तनाव में भी संखा की मासूम हरकत देख और बात सुनकर सब लोग हँस पड़े। संखा ने आश्चर्य से सबको हँसते हुए देखा, 'इसमें हँसने का बात क्या है? छू कर देखो, एकदम संताल औरत जन जैसा है। इसको मारना नहीं चाहिए...'

सूदन किस्कु ने उसकी बात बीच में ही काट दी, 'तो क्या करना चाहिए? दुसमन आयो होड़ है। तुम बापला (शादी) करेगा क्या इससे?'

चेरगा ने फिर कहा, 'मूरला, सोचो मत। मार देते हैं इसको।'

'हाँ-हाँ, दुसमन को जिन्दा रहने देना अच्छा नहीं होगा।' सब बोले एक साथ।

आधे चाँद की रात थी। फिर भी वे सभी अपने काले, साँवले और ताम्बई रंग के कारण अँधेरे से घुलेमिले थे। लेकिन जेली एकदम चरका (सफेद) थी, इसलिए चाँद की पर्याप्त रौशनी नहीं होने पर भी साफ-साफ दिख रही थी। उसके बाल उलझे और कपड़े फटे हुए थे। जिसमें उसकी देह का आधा से अधिक हिस्सा अच्छी तरह से दिख रहा था। बदन पर कुछ खरोंचें भी थीं और टखनों पर सूखा हुआ खून था।

मूरला ने उसके चेहरे को उठाकर देखा। होंठों पर अभी भी खून की पपड़ी जमी हुई थी। हाथों और कुहनियों पर काँटों से कटने-छिलने के निशान थे।

'क्यों आई हो यहाँ, हम जानवरों के बीच...? तुमको जरा भी डर लगता है कि नहीं हम लोगों से। देख रही हो, एक संखा को छोड़कर सभी लोग तुमको मारने के लिए तैयार हैं।' थोड़ा बेबस होकर कहा मूरला ने।

'तो मार दो...तुममें हिम्मत नहीं है तो...तो ये लोग मार देंगे। तुम इनके कमांडर हो। ऑर्डर क्यों नहीं देते इनको।' चीखकर बोलते हुए रो पड़ी जेली।

तभी पहाड़ के नीचे कुछ आहटें हुईं। सबने अनुमान लगाया, फिर आश्वस्त हुए कि उनके ही लोग खाना खाकर लौट रहे हैं।

मूरला उठकर एक ओर चला गया। सभी लोग आपस में उसको मारने के सवाल पर बातें करने लगे। जल्दी ही पूरी की पूरी भीड़ उसको घेरकर बैठ गई। मूरला ने दूर से ही देखा। ऐसा लग रहा था जैसे कोई सफेद चिकने पत्थर को घेरकर लोगों की भीड़ अवाक् बैठी है।

'मूरला, ओ मूरला...आकर खाना खा लो।' सुनाराम ने मूरला को आवाज लगाई। जो लोग खाना खाने गए थे वे पहाड़ी पर रुके साथियों का खाना लेकर आए थे।

मूरला ने जेली के सम्बन्ध में कोई राय नहीं दी।

रात बीत गई।

दो लोगों ने खाना नहीं खाया था। एक मूरला, दूसरी जेली।

सुबह शौच आदि से फारिग होते-होते दिन का एक पहर निकल गया। इस बीच जेली संताल औरतों के झुंड में जा मिली। जोबा ने जब्त किए गए कपड़ों में से एक गुलाबी रंग का अंग्रेजी सूट जेली को दे दिया था। जिसे पहनकर वह पहले जैसी ही तरोताजा दिख रही थी और उन सबके बीच ऐसी दिख रही थी मानो वह पर्यटन करने पहाड़ पर आई है।

मूरला कुछ लड़ाकों के साथ सुबह-सुबह ही कहीं निकल गया था। जाते-जाते वह जोबा को हिदायत दे गया था कि वह उसका खयाल रखे और किसी को भी उसको नुकसान नहीं पहुँचाने दे।

जोबा को उसकी हिदायत अच्छी भी लगी और बुरी भी। अच्छी इसलिए कि वह जेली को कसूरवार नहीं मानती थी। उसे पता था कि जेली उन लोगों से

हमदर्दी रखती है। बुरी इसलिए लगी कि मूरला एक दिकु औरत का क्यों इतना खयाल कर रहा है? कहीं मूरला उसे पसन्द तो नहीं करने लगा है? इस दूसरे ही खयाल से उसे ज्यादा तकलीफ हुई।

चार दिन बाद सब लोग भागलपुर की बजाय भोगनाडीह में जमा थे। परन्तु माँझी के दल के समय पर नहीं चलने के कारण और इस बीच भागलपुर में भारी फौज जमा हो जाने से सिदो ने योजना बदल दी थी। सिदो के निर्देश पर मूरला का दल इस समय भोगनाडीह में था।

सभी प्रमुख लड़ाकों, माँझियों और परगनाओं के जुट जाने से भोगनाडीह में उत्सव का माहौल था। नाच-गान चल रहा था। बड़े-बड़े बरतनों में भात और खस्सी का मांस पक रहा था। हर कोई व्यस्त था किसी न किसी काम में या फिर एक-दूसरे को अपना-अपना अनुभव सुनाने में।

सिदो, कान्हु, चाँद, भैरव चारों भाई, फुलो और झानो दोनों बहनें, हाड़मा देशमाँझी, कोवलिया संताल, सिंगराय, कुछ चुनिंदा लड़ाके और दो-तीन बुजुर्ग एक कमरे में बैठे थे। उन सबके साथ मूरला भी था। वे सब आगे की योजना पर बात कर चुके थे। अभी उनकी समस्या अंग्रेज जेली थी।

कान्हु बोला, 'तुमने उसको उसी समय क्यों नहीं मार दिया था। अगर यह काम तभी हो जाता, तो ऐसी समस्या नहीं होती न?'

मूरला हकलाया, 'दिल नहीं माना था...'

खुशी से अपनी आँखें नचाते हुए फुलो ने चुटकी ली, 'कहीं उसको घर भितराने (बापला) की तो नहीं सोचते हो?'

झानो हँस पड़ी, 'भाभी कहने लगूँ उसको...?'

कोवलिया गम्भीर था, 'मजा करने का समय नहीं है। इसी को कहने दो क्या सोचकर नहीं मारा।'

झानो ही बोली, 'कहा तो...दिल नहीं माना।'

मूरला ने नजरें झुका ली, 'नहीं-नहीं, ऐसी बात नहीं है। अच्छी जनी है। अपना बाबा का जैसा नहीं है। बस इसीलिए दिल नहीं किया।'

कान्हु बोला, 'फिर से सोच-विचार लो।'

'हाँ, अभी जो कहोगे उसको ही मानकर हम लोग उसके बारे में फैसला करेंगे।' कोवलिया ने उसको चेतावनी देते हुए कहा।

'सच कहता हूँ। उसका से दिल नहीं लगाया है। बस वो अच्छा दिल का

आयो होड़ है इसलिए...तुम लोग जो भी फैसला करोगे हम मानेंगे। लेकिन जरूर कहेंगे कि उसको मारना ठाकुर जीउ को अच्छा नहीं लगेगा।' एक ही साँस में अपनी भावना को उड़ेल दिया मूरला ने।

'क्या बोलोगे सिदो...अब?' कोवलिया ने गम्भीर सोच में डूबे सिदो को पूछा।

'मूरला का कहना ठीक है। बेकसूर आयो होड़ को मारना अच्छी बात नहीं है। हम लोग वैसे भी मारपीट, खून पसन्द नहीं करते...जदि वो बच गई है तो जरूर ठाकुर जीउ का इसमें कोई न कोई बिचार होगा।' सिदो ने मूरला की बात का समर्थन करते हुए कहा।

'तो...तुम्हारा बिचार है कि उसे नहीं मारा जाए?' कान्हु बोला था।

फुलो बोली, 'सिदो दादा ठीक सोचा है। उसका बच जाना और यहाँ हम तक पहुँच जाना...जरूर कोई सगुन है।'

झानो चहक उठी, 'हाँ दीदी, हम दो दिन से जोड़ा मैना देख रहे हैं।'

कोवलिया ने सिदो की मनोभावना को ताड़ते हुए कहा, 'अच्छी बात है। उसको नहीं मारेंगे। लेकिन इस बात को भी तो बताओ कि वह किसका जिम्मेदारी होगी?'

'मेरा जिमवारी होगी।' सिदो ने निर्णायक होकर कहा।

जेली आश्चर्यचकित थी। इन लोगों ने ब्रिटिश साम्राज्य के खिलाफ युद्ध छेड़ रखा है, और यहाँ...? इस जगह में जिस तरह की खुशी का माहौल है, उत्सव हो रहा है, कोई कह सकता है कि ये सब मारे जाने वाले हैं! ओह गॉड! कैसे मासूम लोग हैं। शहीद होने से पहले जीवन का असीम आनन्द लेने में मगन हैं। जेली को अपने ब्रिटिश होने पर बहुत ग्लानि हुई। इनसे बेहतर कौन है इस धरती पर? विकसित कहने वाली सभ्यताएँ कितनी बौनी हैं इनके सामने। कोई भय नहीं। सब आनन्द से भरपूर। अधिकतर लोगों की आँखों में उसके लिए घृणा नहीं है। कुछ लोग जरूर उसे मार देने के पक्ष में हैं। पर जीवन के पक्ष वालों की संख्या ज्यादा है।

लोगों की नजरें उस पर बराबर लगी रहतीं। हर कोई उसे पहली बार देखकर चौंक जाता। फिर उसे 'डोबोक जोअर' (संताली अभिवादन) करता हुआ चला जाता। अपने संगी-साथियों, रिश्तेदारों से उसके बारे में बातें करता। लड़कियाँ

और औरतें तुरन्त उसके साथ घुलमिल जातीं। उसका पूरा खयाल रखतीं।

भोगनाडीह में रहते हुए जेली को पहली बार इतने खुले, बिन्दास और निर्मल हृदय वाले लोगों से मिलने का अनुभव हो रहा था। वह सिदो के आकर्षक, साहसी और नेतृत्वकारी व्यक्तित्व से बहुत प्रभावित हुई। 30-32 वर्षीय सिदो ग्रीक महाकाव्यों में वर्णित नायक की तरह सुन्दर, सजीला और साहसी था। जिसकी एक आवाज पर लाखों लोग अपनी जान न्योछावर करने को तैयार थे। बिना हिचके। खुशी-खुशी। उसके बाल घुँघराले थे और सूरत किसी बच्चे जैसी मासूम दिखाई पड़ती थी। लोग उसे 'सूबा ठाकुर' कहते हैं। सुबह-सुबह जब पहली बार उसने सिदो को देखा था, बस देखती रह गई थी।

दूसरे दिन सुबह होते ही भोगनाडीह में जुटी संताल लड़ाकों की सेना चार दलों में विभाजित हो गई। 'हूल-हूल' का शोर करते लड़ाके, जिनमें मर्दों के साथ औरतें भी थीं, अपने नायकों के साथ अलग-अलग दिशाओं में चले गए। सिदो का दल जिसमें करीब एक हजार लड़ाके थे बरहेट के लिए रवाना हुआ। भोगनाडीह, जो रात तक सैन्य शिविर की बजाय सांस्कृतिक अखड़ा मालूम होता था, सूना हो गया। गाँव में सिर्फ फुलो, झानो, दर्जन भर नौजवान और कुछ बूढ़े रह गए थे।

उन सबके जाने के बाद फुलो और झानो जेली के पास आकर बैठ गई। जेली मक्खन की तरह गोरी थी। उसके पतले-पतले होंठ गहरे लाल थे। नाक छोटी, चेहरा गोल और छातियाँ बिलकुल भरी-भरी कसी हुई। कमर केला पेड़ की तरह चिकनी और पतली।

फुलो ने जेली को पूछा, 'तुम्हारा बापला (शादी) हो गया है?'

जेली समझी नहीं।

झानो ने कहा, 'दीदी, ई हम लोग का भासा कैसे जानेगी।'

'तो हम भी तो इसका भासा नहीं जानते।'

झानो बोली, 'दिकु लोग का भासा में पूछो, साइत जानेगी।'

तब फुलो ने हिन्दी में वही सवाल किया।

जेली थोड़ी-बहुत हिन्दी सीख गई थी। इसलिए उसका सवाल सुनकर मुस्कुराई। सिर हिलाकर कहा, 'नहीं।' फिर जेली ने उनसे पूछा, 'तुम लोग का साडी (शादी) हुआ?'

दोनों बहनें हँस पड़ीं और न में सिर हिलाया।

जेली—'तुम लोग को डर नहीं लगता?'

दोनों बहनों ने फिर न में सिर हिला दिया।

झानो ने जेली से पूछा, 'तुमको डर लगता है?'

जेली बोली, 'पहले लगता था। तुम लोग के साथ रहने से अब नहीं लगता।'

'और हम लोग तुमको मार दिए तो...?' जेली को एकटक देखती हुई बोली फुलो।

'मैं तो मरने के लिए ही आई हूँ।' यह बोलते हुए जेली के चेहरे पर तनिक भी भय नहीं था।

थोड़ी चुप्पी के बाद झानो पूछ बैठी, 'तुमको धान रोपना आता है?'

जेली 'धान' नहीं जानती थी इसलिए चुप रही।

फुलो ने ही तब झानो को टोका, 'क्या पूछ रही हो। ई तो मेम साब है। इसको धान रोपने कहाँ से आएगा।'

झानो—'तब तो इसको सिकार करना भी नहीं आता होगा।'

फुलो—'कहाँ से आएगा। सुनते हैं इंगरेज लोग का देस में जंगल नहीं है। होता तो लकड़ी, महुआ...लेने उतनी दूर से यहाँ क्यों आते?'

झानो को एक और उत्सुकता थी। पर सोच रही थी कि पूछे कि नहीं पूछे। लेकिन नहीं रहा गया तो पूछ ही लिया, 'ये तुमने क्या पहन रखा है?' उसका इशारा 'ब्रा' की तरफ था।

जेली के चेहरे पर मुस्कुराहट खिली। बोली, 'इसको ब्रा कहते हैं।'

'तुम इंगरेज सब इतना कपड़ा क्यों पहन लेते हो, भारी नहीं लगता है इतना सारा कपड़ा?' फुलो ने उससे सवाल किया।

जेली इसका क्या जवाब देती। चुप रही। उसने देखा था आदिवासी नाम मात्र के कपड़े पहनते हैं। कुछ-कुछ स्त्रियों ने ही छातियों को ढका है। अन्यथा कमर के कपड़े 'पंची' के अलावा और कोई कपड़ा नहीं था देह पर।

'सिदो का साडी हो गया?' जेली ने उत्सुकता से पूछा।

'नहीं।' फुलो ने जवाब दिया था।

'और कान्हो का?'

'कान्हु दादा और चाँद-भैरो दादा...सबका बापला हो गया है।'

'सिदो का क्यों नहीं?' जेली ने जानना चाहा। क्योंकि भाइयों में वह सबसे बड़ा था।

झानो ने बताया, 'होने वाला था...लेकिन बापला से पहले ही वो मर गई तो फिर दादा ने जोड़ बनाने का बारे में नहीं सोचा।'

अचानक फुलो ने उससे अप्रत्याशित सवाल कर दिया, 'तुम मूरला दादा को पसन्द करती हो?

'हाँ, ही इज सो नाइस एंड ब्रेव मैन।'

'मतलब?'

'मतलब वो बहुत अच्छा और बहादुर आदमी है।'

'वो तो हमारा सब दादा है। लेकिन मेरा पूछने का मतलब और है?

'और है...मैं कुछ समझी नहीं...'

'मतलब...क्या तुम मूरला दादा को प्यार करती हो?'

उनके इस सवाल का मतलब समझकर जेली थोड़ा लजाने जैसी हो गई। मन ही मन सोचती रही फिर बोली, 'मैं उसको पसन्द करती हूँ इसका मतलब सिर्फ प्यार तो नहीं है। हम बहुत सारी चीजों को पसन्द करते हैं पर सबको प्यार तो नहीं करते।'

'तो फिर तुम अपना दिशोम (देश) क्यों नहीं लौटी। मूरला दादा का पीछे-पीछे क्यों आ गई?

'इसका तो क्या जवाब दूँ। यही बोल सकती हूँ कि जीने की इच्छा नहीं रही। शायद यही सोचा कि मूरला नहीं मारा, कोई दूसरा ही मार दे।'

'हम लोग ऐसे किसी को क्यों मारेंगे?'

'और औरतों को तो मारते भी नहीं।'

'लेकिन मेरी मम्मी और दूसरा औरत...इन सबको तो मारा तुम्हारा भाई लोगों ने?'

'हूल (युद्ध) में किसको कहाँ होस रहता है।'

'मतलब अब मुझे नहीं मारेंगे?'

'नहीं। अच्छा होगा तुम अपना दिशोम चली जाओ। जब बरहेट से दादा लोग लौटेंगे, उनको बोलूँगी कि तुमको भागलपुर के पास ले जाकर छोड़ आएँ।'

'लेकिन मैं नहीं जाऊँगी। यहीं रहूँगी।'

'यहाँ हर दिन जान का खतरा है।'

'मुझको अब जान का परवाह नहीं है।'

सिदो और उसके साथी आधी रात में ही बरहेट से लौट आए थे। सब

थके-माँदे थे इसलिए खाना खाकर तुरन्त सो गए। बरहेट गई औरतें भी आँगन में, घर के भीतर, बाहर, पेड़ों के नीचे जहाँ-तहाँ बेखौफ सोयी हुई थीं। फुलो और झानो भी सबको खाना खिलाने के बाद कब का सो गई थीं। सिर्फ कुछ लोग जिनका काम पहरा देना था, वही जाग रहे थे। जेली के सोने की व्यवस्था फुलो और झानो के साथ वाले कमरे में थी।

सुबह जब जेली मुनिया और कुछ अन्य औरतों के साथ लौटी तो लड़ाका लोग खाने के लिए पंक्तिबद्ध होकर बैठ चुके थे। रात का बना हुआ भात, बचा हुआ नहीं कहेंगे, क्योंकि सुबह के लिए ज्यादा बनाया गया था, सब लोगों को पानी और नमक के साथ परोसा जा रहा था।

अभी फिर उसे भी भात खाना पड़ेगा सोचकर जेली का मन अजीब-सा हो गया। वह अभी इस उलझन में थी ही कि रूपी नाम की एक दस-बारह साल की लड़की ने उसके सामने सखुआ के पत्तल में भात लाकर रख दिया। देखा तो भात के साथ भूँजी हुई मछली भी थी। जेली मछली-भात खाने लगी।

उसके खाना खत्म करते-करते लड़ाके कूच के लिए तैयार हो गए थे। जाने से पहले मूरला उसके पास आया। खाना पूरा करके जेली अपना हाथ धो रही थी।

'हम लोग जा रहे हैं। आज राजमहल की तरफ। हम उधर से फिर अपना गाँव चले जाएँगे। तुमसे फिर मिलना होगा कि नहीं, नहीं जानेंगे।' बोलते हुए उदास था मूरला।

जेली ने उसके दोनों हाथों को थामा, फिर चूम लिया। बोली, 'तुम बहुत अच्छा आदमी है। तुम्हारा सब आदमी बहुत अच्छा। मेरा चिन्ता मत करना। अपना खयाल करना। मैं दिल से यही प्रार्थना करती हूँ कि तुम लोग का ठाकुर राज आए...'

'हम भी सोचते हैं, तुम अपना दिशोम चली जातीं तो...'

जेली ने कोई जवाब नहीं दिया।

मूरला ने आत्मीयता से कुछ पल तक जेली को देखा और फिर चला गया।

थोड़ी ही देर में भोगनाडीह फिर से शान्त हो गया। वही दस-बारह लोग रह गए। पूरा गाँव खाली। इस बार फुलो और झानो भी दल के साथ चली गई थीं। उसका साथ देने और खयाल रखने के लिए सिदो सुमती को छोड़ गया था।

अगले दो दिन तक सिदो और उसके लोग नहीं लौटे। सुमती के साथ समय

काटना जेली के लिए भारी हो रहा था। सुमती कुछ बोलती ही नहीं थी। कुछ भी पूछो तो केवल हँस देती। उसे हिन्दी आती भी नहीं थी। जेली को अकेलापन खल रहा था। एक-एक पल काटना मुश्किल हो चला था। इसी अकेलेपन में उसे फुलो-झानो और मूरला की याद आई। सिदो का चेहरा भी बार-बार मन में कौंध रहा था। उसकी बातें, उसका साहसी अन्दाज, घोड़े पर बैठे सिदो की शानदार छवि...वह उसके बारे में जितना सोचती उतना ही उसके आकर्षक व्यक्तित्व में फँसती जाती।

सिदो के बारे में ही हर पल सोचते, गाँव घूमते हुए, नदी में जी भरकर नहाते हुए, मछलियाँ पकड़ने की असफल कोशिश करते हुए, जैसे-तैसे दो दिन मुश्किल से गुजारा जेली ने।

तीसरे दिन वे सब दोपहर से पहले लौटे। सिदो घोड़े से उतरा ही था कि वह दौड़कर उसके पास पहुँच गई। उसका दौड़ना देख सिदो के अंगरक्षकों ने सतर्क होकर तुरन्त पोजिशन ले ली। सिदो ने उन्हें शान्त रहने का इशारा किया। जेली एकदम उसके करीब थी और अपलक उसे सर से पाँव तक निहारे जा रही थी। फिर जिस तेजी से आई थी उसी तेजी से वापस चली गई। किसी को समझ नहीं आया कि माजरा क्या है।

फुलो ने झानो को देखा, झानो ने मुनिया को देखा, मुनिया ने किसी और को देखा, और फिर सब लड़कियाँ और औरतें भेदभरी हँसी से भर उठीं।

रात को सोने से पहले फुलो और झानो ने एक-दूसरे से आँखों ही आँखों में कुछ कहा।

जेली इससे असहज हो उठी। उनसे बोली, 'ऐसे क्या देख रही हो तुम लोग?'

फुलो के चेहरे पर शरारत भरी मुस्कान थी, 'तुम दादा के आते ही उसके पास क्यों गई थीं?'

जेली सकपका गई। आँखों को नीचे किए-किए ही धीरे से बोली, 'बस, ऐसे ही...'

झानो ने छेड़ा, 'ऐसे ही...?'

जेली चुप रही। उसके दिल की धड़कन एकदम से तेज हो गई थी।

'ऐसे ही तो तुम मेरे पास नहीं आईं, कान्हु दादा के पास नहीं गईं?...बोलो?' फुलों ने उसे फिर घेरा।

'कहा न...ऐसे ही...' जेली का स्वर इस बार कँपकँपा गया था।

झानो ने अचानक उसकी छाती पर अपना कान लगा दिया। जेली का दिल तो झरने की तरह शोर कर रहा था।

जेली पर नजरें टिकाए झानो ने फुलो से कहा, 'दीदी, इसका दिल तो सिदो-सिदो कूक रहा है।'

जेली ने शरमाकर नकली गुस्सा दिखाते हुए झानो के सर को अपनी छाती से हटा दिया।

फुलो ने जेली का चेहरा प्यार से उठाया, कँपकँपाती आवाज में बोली, 'दो दिन में ही...दो दिन में ही इतनी उतावली हो गई, दादा मर जाएगा तब?'

जेली ने फट से फुलो के मुँह पर अपना हाथ रख दिया और फुलो के गले लगकर सिसक उठी।

फुलो बोलती रही, 'हमारा कोई ठिकाना नहीं है जेली। हम लोग तो बस नाचते-गाते जीना चाहते थे...लेकिन तुम लोग का अत्याचार के चलते हूल चुनना पड़ा। अब हूल ही हमारी जिन्दगी है। हमारी बात मान लो और अपने दिशोम लौट जाओ...मरने वालों से दिल नहीं लगाना चाहिए।'

'मैं भी तुम लोग के साथ ही मरूँगी...इधर ही।'

'तुम क्यों मरोगी...तुम तो निरदोस हो, पानी की तरह...'

फिर पूरी तरह से निस्तब्धता छा गई। शायद तीनों में से किसी के पास अपनी-अपनी भावनाओं को व्यक्त करने के लिए शब्द नहीं थे। इसलिए तीनों एक-दूसरे को भींचे हुए देर तक पड़ी रहीं। और जाने कब इसी अवस्था में उन्हें नींद ने आ घेरा।

रात में शायद खूब तेज हवा चली थी जिसके कारण घर के सामने के गुलईची पेड़ के फूल आँगन तक उड़-उड़ कर आ गए थे। जेली जब कमरे से बाहर निकली तो गुलईची फूलों को देखकर खुश हो गई। बच्ची रूपी, जो उसके लिए खाना-पानी लाती थी, दौड़कर आई और फूलों को चुनने लगी। जेली खड़ी-खड़ी बच्ची को फूल चुनते देखती रही। सिदो शायद बाहर से आ रहा था। उसने बच्ची को देखा और झुककर एक फूल उठा लिया। फिर फूल बच्ची को दे दिया, प्यार से उसके गाल थपथपाए और अपने कमरे में चला गया।

उसके जाते ही जेली लपककर रूपी के पास पहुँची और जो फूल सिदो ने उसे दिया था, उसे लेकर जल्दी से जूड़ा बनाया और उसे जूड़े में लगा लिया।

बच्ची से मुस्कुराकर पूछा, 'कैसी लग रही हूँ?'

रूपी खी-खी करके हँस पड़ी। उसका जूड़ा ठीक से बना ही नहीं था। असल में उसने दो दिन पहले ही सुमती से जूड़ा बनाना सीखा था।

अभी तक के अभियानों में सिदो और उसके लड़ाकों को जीत ही मिली थी। एक-दो जगह अपनी कमजोर स्थिति को भाँपकर वे पीछे हट गए थे। हालाँकि कई लोग मारे गए थे पर सिदो और उसके लोगों का हौसला बुलन्द था। राजमहल, मॉर्टेला, आमरापाड़ा, पाड़ारकोला, पियालापुर में हुई जीत से उनके हौसले बुलन्द थे। उन सबका आत्मविश्वास और मजबूत हो गया था कि वे लोग अपने दिशोम में ठाकुर का राज स्थापित करने में जरूर सफल हो पाएँगे। अब उनका अगला केन्द्र महेशपुर स्थित सुलतानाबाद रियासत का राजमहल था।

उस दिन, जब पूरे समय जेली अपने जूड़े में गुलईची का फूल लगाए घूमती रही, सिदो, कोवलिया, हाड़मा देशमाँझी और सभी प्रमुख माँझी-परगनैत सुलतानाबाद पर हमले की योजना पर विचार करते रहे। सिदो का खयाल था कि यदि वे लोग सुलतानाबाद पर जीत हासिल कर लेते हैं, तो अंग्रेजों की ताकत एकदम से टूट जाएगी। हेस्टिंग्स और जारबिस जैसे ब्रिटिश सेना के सारे अधिकारी वहीं डेरा डाले हुए थे। पर यह बहुत जोखिम का काम था। सुलतानाबाद का किला बहुत बड़ा था, लगभग अभेद्य। यह अनुमान लगाना भी बहुत मुश्किल था कि वहाँ कितने सैनिक, हथियार वगैरह हैं।

अन्ततः काफी विचार-विमर्श और एक-एक पहलुओं को बारीकी से समझ-बूझ लेने के बाद सबकी सहमति बनी। रणनीति को ठोंक-बजा कर दुरुस्त कर लिया गया और तय हुआ कि रात में ही सुलतानाबाद कूच किया जाए। लड़ाके कूच की तैयारी में लग गए।

शाम होते-होते सब तैयारियाँ हो गईं। सबसे आगे कान्हु और देशमाँझी, बीच में कोवलिया और सिदो और सबसे पीछे चाँद और भैरव। चाँद और भैरव के ठीक आगे फुलो-झानो, मुनिया, सुमती और कंचनी के नेतृत्व में औरतों का दल।

जैसे ही उन्होंने चलना शुरू किया जेली दौड़कर फुलो और झानो से लिपट गई। फुलो और झानो ने प्यार से उसका माथा चूमा और सुलतानाबाद के लिए सिदो के साथ निकल पड़ीं।

जब तक सिदो दिखता रहा, जेली की नजर उसकी मजबूत पीठ पर टिकी

रही। धीरे-धीरे लगभग चार हजार लोगों का शहीदी जत्था उसकी आँखों से पूरी तरह से ओझल हो गया।

दिल थामकर जेली गुलईची पेड़ के नीचे बैठ गई। मानो किसी ने उसकी साँसों को भींच लिया हो। पेड़ पर से पंछियों की आवाज आ रही थी। जेली की नजरें ऊपर उठ गईं। देखा, पेड़ की डाल पर दो तोते बैठे हैं और दोनों घोंसलों में पड़े अपने बच्चों की चोंच में दाना डाल रहे हैं। जेली के भीतर अचानक उठी बेचैनी शान्त हो गई और उसने आनन्द महसूस किया।

हवा के झोंके से गुलईची के फूल लहरा रहे थे।

तीसरे दिन जब सूरज रात के अँधेरे के गर्भ से बाहर आ रहा था और रक्त जैसी लालिमा आसमान में बिखरी हुई थी, जितने लोग गए थे, उससे आधे से भी कम लोग लौटे। अधिकांश घायल। सिदो को दो गोलियाँ लगी थीं। एक दाहिनी टाँग में और दूसरी बाईं छाती में। छाती में तो गोली मांस को छीलते हुए निकल गई थी परन्तु टाँग को तो गोली ने चीरकर ही रख दिया था।

जेली के होश उड़ गए।

उसने घाव देखा। गोली को लोगों ने निकाल दिया था, पर खून का बहना रुका नहीं था। जेली ने खून से सने कपड़े को तुरन्त हटाया, गर्म पानी करवा उससे घाव को अच्छी तरह से साफ कर दिया। इसी बीच एक संताल कोई बूटी पीसकर ले आया था। जेली ने उसे घाव पर रखा और एक साफ सूती कपड़े से अच्छी तरह से पट्टी बाँध दी।

जो स्वस्थ और कम घायल थे, वे बाकी लोगों के उपचार में लगे थे। जेली भी उनके साथ जुट गई।

शाम होते-होते घायलों में काफी सुधार आ गया था। घाव बहुत गम्भीर नहीं थे। छोटी-मोटी चोटें और कुछ लोगों को ऐसी जगहों पर गोलियाँ लगी थीं, जिससे जान को कोई खतरा नहीं था।

फुलो ने फुर्सत मिलते ही सुलतानाबाद हमले की पूरी कहानी सुनाई। कैसे संताल लोग वीरतापूर्वक लड़े और शहीद हुए। बन्धक बनाए गए संताल औरतों और मर्दों को किस बेरहमी से मारा। सुनकर रो पड़ी जेली। ब्रिटिश सैनिकों का यह कुकृत्य युद्ध के नियमों के खिलाफ था।

रात होते-होते दो गुप्तचरों ने आकर सूचना दी कि ब्रिटिश सेना भोगनाडीह

पर हमला करने वाली है। सुनकर सिदो ने तुरन्त साथियों से सलाह-विचार किया। सबकी यही राय थी कि अभी हम लोग घायल हैं, संख्या बल में भी बहुत कम हैं, नए लड़ाकों को साथ जोड़ने में वक्त लगेगा, इसलिए भोगनाडीह को खाली कर देना ही उचित है।

जितना सामान समेटा जा सकता था...हथियार, अनाज, पैसे, कपड़े, चटाइयाँ वगैरह...समेट लिया गया।

सुबह होने से पहले भोगनाडीह पूरी तरह से खाली था। बिलकुल निर्जन! नहीं-नहीं, निर्जन नहीं...पंछी और जानवर वहीं थे।

सिदो और उसके लड़ाके बरहेट के घने जंगल में पड़ाव डाल चुके थे।

उसी दिन दोपहर होते-होते ब्रिटिश सेना ब्रिगेडियर-जनरल लायड के नेतृत्व में भोगनाडीह में थी। किसी को नहीं पाकर बौखलाई सेना ने पूरे गाँव को आग के हवाले कर दिया। वहाँ से लौटते हुए रास्ते में पड़ने वाले गाँवों को भी नहीं बख्शा गया, उन्हें रौंदा, लूटा और घेरकर मारा गया। बच्चों, बूढ़ों और औरतों पर 'महारानी' के सैनिकों ने कोई दया नहीं दिखाई।

आषाढ़ का मौसम अपना रंग दिखाने लगा था। भरी-भरी घटाओं से आसमान का नीलापन रह-रह कर और अचानक ही गायब हो जाता। बिजलियाँ कड़कतीं और तेज रफ्तार हवाओं के साथ बारिश धरती पर उतरती, बचाव का बिना कोई अवसर दिए सब कुछ भिगो डालती और छापामार की तरह धरती के किसी दूसरे हिस्से में चली जाती।

बरहेट के जंगल के पड़ाव में अब मुश्किल से सौ लोग बचे थे। बारिश और रसद की समस्या को ध्यान में रखकर सिदो ने यहाँ डेरा डालने के दूसरे दिन ही जिन संताल इलाकों में लोग हूल में नहीं उतरे थे, घने जंगलों में जो बस्तियाँ थीं, या फिर दूर-दराज के गाँवों में जहाँ उनकी रिश्तेदारियाँ थीं, अधिकांश लोगों को भेज दिया था। उनसे कहा गया था कि जल्दी ही परिस्थिति देखकर आगे की कार्रवाई के लिए उन सबको खबर दी जाएगी।

जुलाई का दूसरा सप्ताह खत्म होने को था।

शायद सोमवार का दिन था। उस दिन सुबह से ही जो जोरदार बारिश शुरू हुई। वह आधी रात को जाकर रुकी। सिदो का दल भीगने से कुछ भी नहीं बचा सका। अस्थायी बनाई गई कैम्पनुमा झोंपड़ियों को तूफानी हवाओं ने उड़ा दिया।

पूरे दल ने बड़े-बड़े घने पेड़ों के नीचे छुपकर बचने की कोशिश की, लेकिन कोई फायदा नहीं हुआ।

आधी रात को जब बारिश थमी, तो सबसे पहले अँधेरे में ही सिदो के लिए एक कुम्बा (झोंपड़ी) बनाया गया। आग जलाकर कुछ चटाइयों और कपड़ों का बिस्तर बनाकर सिदो को लिटाया। उसका बदन बुखार से काँप रहा था। जेली को उसकी सेवा में छोड़ बाकी सभी लोग फिर से सामान वगैरह समेटकर खाना बनाने में जुट गए।

दूसरे दिन शाम तक सिदो का ज्वर कुछ कम हुआ। जेली एक पल के लिए भी वहाँ से नहीं हटी थी।

फुलो उसकी सेवा और सिदो के साथ उसकी अन्तरंगता देख बेखयाली में बोल गई, 'भाभी, तुम थोड़ा आराम कर लो।'

वहाँ खड़े कान्हु, चाँद, सुमती और कुछ अन्य, पहले तो चौंके, फिर ठहाका मारकर हँस पड़े। बेध्यानी में कही गई अपनी ही बात पर पहले तो फुलो थोड़ा सकुचाई, फिर वह भी लोगों की हँसी में शामिल हो गई। आखिर उसने गलत ही क्या कहा था!

जेली का चेहरा 'पियार' (एक मीठा फल) की तरह एकदम से नारंगी-गुलाबी हो गया था। उसने अपनी निगाहें नीची कर लीं। सिदो होश में था। फुलो के मुँह से 'भाभी' सुनकर उसके दिल में गुदगुदी हुई, पर उसने अपने भावों को छुपा लिया और चेहरे पर गम्भीरता ओढ़ ली, जैसे उसने यह प्यारा शब्द सुना ही नहीं हो।

हँसी का ठहाका सुन खाना बनवाने की जुगाड़ में लगी झानो भी लपककर कुम्बा में पहुँची। सवालिया नजरों से सबको देखा। सबने जेली की ओर इशारा किया। झानो को कुछ समझ में नहीं आया।

फुलो ही बोली, 'इसमें हँसने की बात क्या है? क्या तुम लोग को भाभी नहीं चाहिए?'

सिंगराय माँझी, जिसने दो अंग्रेज औरतों को काटा था, बोला, 'भाभी तो चाहिए फुलो, पर सोचा नहीं था कि इंगरेजी भाभी मिलेगी।'

अब जाकर झानो को उनके ठहाका मारने की बात समझ में आई। हँसते हुए बोली, 'तो...बापला का इन्तजाम करते हैं। क्यों...?'

'करेंगे...बहुत मजा से करेंगे...पहले हूल तो खतम हो। पता नहीं ठाकुर जीउ

का क्या मरजी है।' फुलो के स्वर में भविष्य को लेकर शायद कुछ अनिश्चितता थी, इसलिए उसकी आवाज मजबूत नहीं लगी थी।

कान्हु ने भाई के चेहरे पर नजर डाली और धीमे से मुस्कुराते हुए बोला, 'मन मिल गया तो समझो हो गया बापला।' फिर उसने सब लोगों पर नजर दौड़ाई और जेली को सम्बोधित करके कहा, 'क्यों भाभी?'

इतना कहना था कि सुमती सबको डाँटने के अन्दाज में जोर से चीखी, 'भाभी-भाभी बोल रहे हो और यहाँ हटिया (साप्ताहिक बाजार) जैसा भीड़ लगा रखा है, चलो सब बाहर निकलो। नया जोड़ा है...चलो-चलो बाहर निकलो...।'

सचमुच लोग बाहर निकल आए।

उनके बाहर निकलते ही जेली ने प्यार से सिदो को निहारा। सिदो ने आँखें बन्द कर रखी थीं, पर मुँदे हुए पपोटे के भीतर उसकी पुतलियाँ नाच रही थीं। उसने हौले से अपना सिर उसकी छाती पर रख दिया। स्त्री के समर्पण की तरलता और उसकी चाहत की ऊष्मा से बुखार में पड़ी देह भी गनगना गई। सिदो की नाचती हुई पुतलियाँ इस आदिम एहसास से एकदम स्थिर हो गईं। क्षण भर का भी समय नहीं बीता और उसकी मजबूत बाँहों ने जंगली लतर की तरह जेली की कमर को अपनी जद में ले लिया।

बाहर आग पर भात का अदहन खौल रहा था।

तीसरा सप्ताह भी बीतने वाला था। सिदो पूरी तरह से स्वस्थ हो गया था। उसके गुप्तचर लगातार उसे बाहर की सूचनाएँ दे रहे थे। इनमें अच्छी सूचनाएँ भी थीं तो बुरी भी।

एक शाम को, जंगल से पूरब लगभग छह मील की दूरी पर स्थित गाँव में सभा से लौटने के बाद, जेली के साथ सिदो बरहेट जंगल की ऊँची चट्टान पर बैठा था। जेली ने उसकी कमर में अपना हाथ डाल रखा था और उसका सिर सिदो के कन्धे पर टिका हुआ था। सूरज डूब चुका था बस उसकी आखिरी लालिमा आसमान में एक लकीर की तरह दिख रही थी। आसमान साफ था और तारे इक्का-दुक्का दिखने लगे थे।

बैठा तो सिदो जेली के साथ था, लेकिन उसका मन हाल-फिलहाल होने वाली अनेक घटनाओं में उलझा हुआ था। जो खबरें उसे मिल रही थीं उससे उसका दिल रो रहा था। गाँव के गाँव उजाड़ देना, जला देना और निहत्थे संतालों को कुचल-कुचलकर मार देना, ये खबरें उसे बुरी तरह से मथ रही थीं। लड़ाकों

का शहीद हो जाना उसके स्वाभिमान को मजबूती ही देता था, परन्तु निर्दोषों के कत्लेआम से वह बहुत व्यथित था। उसकी व्यथा कुछ पल के लिए कम होती कि समूचा संताल दिसुम हूल के लिए उठ खड़ा हो गया है और लगातार फैलता ही जा रहा है। फिर भी बिना लड़ाई में गए लोगों की हत्याओं से वह भीतर ही भीतर रोता। उनकी हत्याओं के लिए वह खुद को जिम्मेवार मानता और धिक्कारता।

जेली समझती थी कि सबका रक्षक होने के नाते 'सूबा ठाकुर' की पीड़ा क्या है। वह उसे बार-बार समझाती, युद्ध में सब कुछ किसी एक पक्ष पर निर्भर नहीं रहता और इसकी कीमत उन्हें भी चुकानी पड़ती है, जो किसी भी रूप में युद्ध का हिस्सा नहीं होते।

अभी भी उसकी खामोशी को देखकर जेली बोली, 'सूबा ठाकुर को उदास नहीं होना चाहिए। तुम भरोसा खो दोगे तो तुम्हारे लोग अन्तिम लड़ाई के पहले ही हार जाएँगे।'

'हम संताल लोग जीतने के लिए नहीं लड़ रहे हैं...इंगरेज महारानी को बताना चाहते हैं कि अपना फायदा के लिए हमें लूटना, मारना, हम लोगों के जीने-खाने के सभी साधन छीन लेना...यह इनसान का काम नहीं है। ठाकुर राज का मतलब किसी को अपना अधीन करना नहीं है। ठाकुर राज का मतलब है सबका जीने का हक-हकूक बचाना। पसु-पंछी सबका आजादी, जीने का सबका अधिकार। बाँचाव लाड़हाई है ठाकुर राज।'

'समझती हूँ डियर...लेकिन ब्रिटिश साम्राज्य और खुद को विकसित सभ्यता का वारिस मानने वाले आदिवासियों की बात नहीं समझेंगे। समझ लेते तो यह सब होता ही नहीं। न तुमको अपने लोगों को खोना पड़ता, न ही मैं अपने मम्मी-डैडी से हमेशा के लिए जुदा हो जाती।' कहते-कहते गला भर्रा गया जेली का।

सिदो ने उसे अपनी बाँहों में कस लिया। मानो उसके माँ-बाप के मारे जाने की पीड़ा को अपने भीतर सोख रहा हो।

'हम सब दुख में हैं...' धीरे से कहा सिदो ने।

'हाँ...पर इस दुख में मेरा सुख, मेरी उम्मीद सिर्फ तुम हो।...और मेरी ही क्यों, सबकी उम्मीद सिर्फ और सिर्फ तुम्हीं हो।' कहते हुए जेली उसकी आगोश में लगभग छुप गई।

चाँद निकल आया था।

दोनों जब वापस साथियों के पास लौटे तो कलकत्ता से उनका खबरी आया हुआ था। सब लोग उसे घेरकर बैठे थे। सिदो और जेली के समीप पहुँचते ही खबरी, जिसका नाम राबोन था, ने फुर्ती से उठकर संताल तरीके से दोनों को डोबोक जोअर किया।

राबोन बोला, 'कलकाता में बहुत अफवाह है। बड़ा-बड़ा इंगरेज अफसर लोग संताल दिशोम में और सिपाही भेजने के लिए बड़ा लाट को अरजी लिखा है। मिलटरी राज लगाने का बासते। मिलटरी राज चालू होने से हूल में बहोत दिक्कत होगा।'

खबरी की बात सुनकर सबके चेहरों पर चिन्ता बढ़ गई। ऐसा हुआ तो सचमुच हूल को चला पाना कठिन काम हो जाएगा। अभी ही सब तरफ की पुलिस और सेना इधर डाल चुकी है।

'तुमको क्या लगता है? कब तक मिलटरी राज लगा देगी महारानी?' सिदो ने आगे जानना चाहा।

'कुच सही-सही तो बोलने नहीं सकेंगे...ऐसा हल्ला है कि कभी भी मिलटरी राज हो सकेगा।'

चाँद बोला, 'सिदो दादा, तब तो हम लोग को भी बहुत बड़ा दल बनाना होगा।'

'और खास करके राजमहल का तरफ...गंगा किनारे और रानीगंज का कोलवरी का तरफ।' मुचिया ने सुझाव दिया।

कंचनी ने उसकी सलाह में हाँ मिलाई, 'ठीक बोला मुचिया। येही दो रास्ता से सिपाही लोग आएगा।'

'और उधर कलकाता का खबर कागच में लिखा था कि भाभी को संतालों ने मार दिया है।'

उसकी बात सुनकर सब लोग हँस पड़े।

फुलो बोली, 'ठीक तो लिखा। उन लोग का जेली तो उसी दिन मर गई जिस दिन ये दादा से जोड़ा बनाई।'

'बहुत ठीक।' मुचिया ने भी फुलो की बात में अपनी बात जोड़ी, 'अब ई तो इंगरेज मेम साब थोड़ी है, ई तो संतालों का हिली (भाभी) है।'

सुमती कहाँ चूकती, पट से जेली को बोल उठी, 'हाँ भाभी?'

जेली मुस्कुरा उठी। सबकी प्यार भरी बातों से उस पर अचानक नशा-सा

चढ़ गया और इसी नशे में यूरोपियन संस्कार के अनुसार वह सिदो के गले लिपट गई, उसके होंठों पर अपने होंठ जमा दिए।

उसका यह व्यवहार सबके लिए अप्रत्याशित था। सबका मुँह खुला रह गया। सिदो तो बुरी तरह झेंप गया।

फिर तो ऐसा जोरदार ठहाका लगा कि उस ठहाके से जंगल देर तक गुदगुदाया रहा।

देर रात तक आसन्न नई परिस्थिति पर सबने चर्चा की। आम राय यही बनी कि कल ही लड़ाकों को जमा होने का खबर भेज दिया जाए और ज्यादा से ज्यादा नया लड़ाकों को भी हूल के दल में जोड़ा जाए।

उस रात जेली ने सिदो के साथ जी भरकर प्रेम किया।

शायद यह उस पूर्वाभास के कारण था कि 'मार्शल लॉ' के लागू होते ही ब्रिटिश साम्राज्य उससे सिदो को हमेशा-हमेशा के लिए छीन लेगी। जेली ने सोचा, काश यह रात कभी भी सूरज का शिकार नहीं बनती तो कितना अच्छा होता।

पुराने लड़ाके लौटने लगे थे। नए लड़ाके भी आ रहे थे। नए लड़ाकों पर पहली नजर में विश्वास करना सिदो और उनके साथियों के लिए कठिन था, क्योंकि खबरियों ने पहले ही सिदो को सचेत कर रखा था कि इनाम की लालच में कुछ द्रोही उनके बीच घुस सकते हैं। पर हालात ऐसे थे कि जो भी आ रहा है, उस पर भरोसा करना ही करना था।

जुलाई के चौथे सप्ताह का पहला दिन था। बरहेट के जंगल में हूल के नए अध्याय के लिए पुराने लड़ाके कमर कस रहे थे। नए लड़ाकों को प्रशिक्षित किया जा रहा था। खासकर अंग्रेजी सेना के हथियारों और उनके तौर-तरीकों के बारे में। सिदो गाँव-गाँव घूम रहा था। उसके इस दौरे का एक ही मकसद था, पुराने गाँवों और लोगों की हिम्मत बढ़ाना और नए-नए गाँवों और वहाँ से लड़ाकों को हूल में खुद को न्योछावर करने के लिए प्रेरित करना।

अगले दिन फिर उन्हें अपना ठिकाना बदलना पड़ा। खबरी की इस खबर पर कि अंग्रेजी सेना कभी भी इस ठिकाने पर पहुँच सकती है, खबर मिलने के एक पहर के भीतर पूरा दल हिरणपुर के पास के सोनापुर के जंगल में चला गया। युद्ध की तैयारी में कोई कमी नहीं।

चौथे सप्ताह का दूसरा दिन। मंगलवार।

उस दिन सिदो को गन्दू लोहार के यहाँ जाना था। गन्दू लोहार को उसके खबरियों ने पहले ही खबर दे दी थी कि वह आसपास के सभी लुहारों को जुटाकर रखे। सूबा ठाकुर उनसे मिलने आएगा। हूल को उन सबके मदद की जरूरत है। गन्दू को बता दिया गया था कि बैठकी बहुत जरूरी है। उनको बहुत-सा तीर और ढेरों कुल्हाड़ी चाहिए। इसलिए लुहारों को जुटाने में वह कोई कोताही न बरते।

जैसे ही सिदो निकलने को तैयार हुआ कि जेली ने हाथ पकड़कर उसे वापस कुम्बा में खींच लिया। सिदो मुस्कुराया। बार-बार भूल जाता है कि बाहर जाने से पहले जेली को प्यार करके जाना है। यह नियम जेली ने बनाया था। उसे कभी-कभी खुद पर इस भूल के लिए गुस्सा भी आता, पर वह क्या करे। संताल आदिवासियों में ऐसा कोई रिवाज तो है नहीं। उसने तुरन्त जेली को अपनी बाँहों में कसा और उसके होंठों को चूम लिया।

जब वह बाहर निकला तो उसके अंगरक्षक और साथ जाने वाले लड़ाके तैयार थे और उसी की राह देख रहे थे। सिदो उछलकर घोड़े पर चढ़ा और एड़ लगाने ही वाला था कि अचानक उसे पहरे पर खड़े लोगों की विशेष आवाज सुनाई दी, जो किसी पंछी के स्वर जैसी थी। दो लोग तुरन्त ही पहरेदारों की तरफ दौड़े।

कुछ देर बाद लौटे तो उनके साथ एक खबरी कनाई संताल था।

कनाई ने आते ही सिदो और बाकी लोगों को जोहार किया और घबराए हुए स्वर में बोला, 'सूबा ठाकुर, अच्छी खबर नहीं है। हमको बहुत देर से मालूम हुआ, हमारा भूल को भुला देना सूबा ठाकुर। बहुत बड़ा गलती हुआ हमसे। ये जगह जितनी जल्दी हो खाली कर दो। इंगरेजी सेना इधर पहुँचने ही वाली है। लेकिन साफ से बोलता हूँ, जरूर इधर का दल में उन लोगों का खबरी घुसा हुआ है।'

कान्हु का चेहरा तमतमा उठा। लड़ाकों की नसें फड़कने लगीं। सारे लोग तुरन्त सिदो को घेरकर खड़े हो गए। दो-ढाई सौ से ज्यादा वे सब नहीं थे। सबकी नजरें एक-दूसरे की टोह लेने लगीं। कौन है द्रोही?

सिदो ने कहा, 'द्रोही कौन है। कौन है इंगरेज-जमींदार का भेदिया। इसका पता लगाने का बेरा नहीं है। जो हाथ में पकड़ सकते हो पकड़ो, और तुरन्त

जगह को खाली करो।'

अपने प्रमुख लड़ाकों को सिदो आगे कर रणनीति समझाने लगा। बोला, 'हम एक साथ नहीं, अलग-अलग दल बनाकर अलग-अलग दिशा में यहाँ से जाएँगे। एक साथ जाना खतरा होगा। और सब लोग बहुत होस से जान लो, हर दल सिर्फ अपनी रक्षा का फिकिर करेगा इस समय। किसी भी हालत में दूसरे के लिए नहीं रुकेगा। इंगरेज लोग पूरा तैयारी से आ रहा होगा। पूरा तैयारी से। हम लोग इतना कम लड़ाका में उनका मुकाबला साइत नहीं कर पाएँगे।'

सबने सिदो के सामने हामी भरी और चालीस-पचास का दल बना-बनाकर अलग-अलग दिशाओं में सरपट चल पड़े। तीन दल निकल चुके थे। चौथा दल कान्हु का था और पाँचवाँ खुद सिदो का। फुलो और झानो को सिदो ने अपने दल में ही रखा था। कुछ ही औरतें तीनों दलों में थीं, शेष सभी कान्हु के साथ थीं।

कान्हु का दल रवाना करने के बाद सिदो ने जो पालकी अंगरेज अफसर के यहाँ से जब्त की थी उसमें जेली को बैठने का इशारा किया। जेली नहीं बैठी।

बोली, 'मैं तुम्हारे साथ रहूँगी। घोड़े पर।'

सिदो ने हड़बड़ाते हुए उसे समझाया, 'नहीं...तुम पालकी पर ही रहोगी। वैसे भी हम दोनों का भार घोड़ा के लिए इस समय में ठीक नहीं होगा। चलो बैठो जल्दी से।' उसने अपने कान खड़े किए और चीखा, 'बैठो जल्दी...वे लोग बिलकुल हमारे पास आ गए हैं।'

जेली को लगभग धक्का देकर पालकी में बिठाया सिदो ने। बैठते ही चार लोगों ने पालकी उठाई और पूरब की दिशा में दौड़ पड़े। सिदो घोड़े पर पालकी के आगे-आगे और पालकी के पीछे बाकी लोग थे।

वे लोग कुछ ही कदम आगे बढ़े होंगे की पूरब की ओर से भी अंग्रेजी सेना आती दिखी। सिदो ने फौरन उत्तर-पश्चिम की तरफ घोड़े को मोड़ दिया। जिधर कान्हु का दल गया था। तब तक दोनों तरफ से घुड़सवार सैनिकों का एक बड़ा जत्था, जिसमें बीस से कम सैनिक नहीं थे, बिलकुल उनके करीब आ पहुँचे।

सिदो चिल्लाया, 'रुकना मत। आगे बढ़ते रहो...'

पालकी वालों ने गजब की फुर्ती दिखाई। अंग्रेज घुड़सैनिकों के पहुँचते-पहुँचते वे पहाड़ के उतार पर पहुँच चुके थे। दल का हौसला बनाए रखने के

लिए सिदो ने खुद को सबके अन्त में कर लिया था। सबके सब जी-जान से अंग्रेज घुड़सवारों और अपने बीच का फासला बढ़ाने में लगे थे। लेकिन पाँच-सात लड़ाकों की रफ्तार धीमी हो रही थी। ये सभी नए लड़ाकों में से थे। पहले तो सिदो को उनकी धीमी रफ्तार पर कोई शंका नहीं हुई पर जब वे बार-बार पीछे मुड़कर देखने लगे तो उसके मन में कोई सन्देह नहीं रह गया। उसने उन द्रोहियों से बचने के लिए उनसे आगे निकलना चाहा। सिदो ने घोड़े को जोर से थपथपाया। घोड़े ने उसका इशारा समझ जोर की छलाँग लगाई। उसी क्षण सातों के सातों नए लड़ाके पलटकर उसके आगे खड़े हो गए।

एक ने हवा में उछाल भर रहे घोड़े की टाँग पर फुर्ती से कुल्हाड़ा चला दिया। दूसरे ने पलक झपकते तीर। घोड़ा गिर गया और सिदो भी जमीन पर आ गया। इससे पहले कि वह सँभलता उन सातों ने उसे बुरी तरह से दबोच लिया। सब उसके सीने पर इस तरह से कूदकर चढ़ गए थे कि सिदो को तनिक भी मौका नहीं लगा। उस गिरी हुई अवस्था में सिदो बिलकुल जोर लगाने के काबिल नहीं था। उसने दाँत किटकिटाकर उन सबको देखा।

'खड़ा तो होने देते...गिरे हुए होड़ पर बहादुरी दिखा रहे हो?'

किसी ने उसकी बात का जवाब नहीं दिया।

उसने बहुत जोर लगाया। सब बेकार सिद्ध हुआ। ब्रिटिश घुड़सैनिक उसे घेर चुके थे।

इधर जब पहाड़ उतर चुका सिदो के दल के बाकी लोगों को सिदो और साथ के शेष लोग आते नहीं दिखे तो उन्हें खटका हुआ। जेली को घोड़े के पैरों की टाप बिलकुल सुनाई नहीं दे रही थी। उसका दिल जोर-जोर से धड़क रहा था।

उसने पालकी के भीतर से ही घबराकर फुलो को पूछा, 'तुम्हारा दादा कितना पीछे रह गया...उसका घोड़ा का आवाज नहीं सुनाई दे रहा।'

जब कुछ पल के बाद जेली को उत्तर नहीं मिला तो वह पागलों की तरह पालकी से कूद पड़ी और पहाड़ की तरफ दौड़ी। फुलो और झानो ने लपककर तुरन्त उसे अपनी बाँहों में जकड़ लिया।

'क्या करती हो...दादा आ जाएगा...चलो।'

दोनों ने बहुत जोर-जबरदस्ती से उसे पालकी में धकेला। पालकी वाले फौरन भाग चले। भागते हुए उन लोगों ने देखा, पहाड़ की चोटी पर अंग्रेज घुड़सैनिक खड़े थे और उन्हें ही हाथ मलते देख रहे थे। सबने चैन की साँस ली, शुक्र है इधर

की पहाड़ी ढलान बहुत चट्टानी और उबड़-खाबड़ थी। उनके घोड़े नहीं उतर सकते थे।

फुलो और झानो की रुलाई गले में अटक गई। वे समझ चुकी थीं कि उनका दादा, हूल का अगुआ, सूबे का ठाकुर और सबके दिलों का राजा अंगरेजी फौज के हाथ लग चुका है।

पालकी में जेली अर्द्धमूर्च्छित हो गई थी।

फुलो और झानो की आँखों से बारिश का झरना फूट रहा था और झरने की तेज लड़ियों में पीछे छूटती पहाड़ी लगातार धुँधलाती जा रही थी।

एक पुष्ट खबर के अनुसार 8 दिसम्बर को जब ऊपरबन्धा के जंगल में जनरल लायड की युद्ध कार्रवाई में कान्हु, चाँद, भैरो और कई संताल लड़ाके गिरफ्तार हुए तो उनके दल में बीसेक साल की वह अंग्रेज युवती भी थी, जिसके मरने की खबर कलकत्ता से लेकर लंदन तक फैली हुई थी। 'द इंडियन न्यूज एंड क्रॉनिकल ऑफ ईस्टर्न अफेयर्स' ने अपने 4 फरवरी, 1856 के अंक में युवती के बरामद होने की पुष्टि की है।

इस सम्बन्ध में अपुष्ट खबर यह थी कि जिस ब्रिटिश युवती को संताल लड़ाकों के साथ गिरफ्तार किया गया था, उसने अपनी देह में सिदो मुर्मू उर्फ सूबा ठाकुर का चार महीने का बीज सँभाल रखा था।

जब जेली लायड के हाथ लगी थी, शायद उसके एक-दो दिन आगे या पीछे ही सिदो को उसके गाँव में फाँसी दे दी गई थी।

लेकिन क्या सिदो सचमुच मर गया था?
या कि उसका हूल बीज जिन्दा था!

बजल की बाँसुरी

सुन्दर पहाड़ी दुनिया की सबसे पुरानी पहाड़ी शृंखला राजमहल पर है। आज के गोड्डा जिले के इसी सुन्दर पहाड़ी के नीचे वनाच्छादित मनोरम क्षेत्र में संतालों का एक छोटा-सा गाँव है बारिसटाँड़। इस बारिसटाँड़ में हूल से पहले, हूल के दौरान, और अब भी दिल को मोह लेने वाली एक स्वर लहरी गूँजती है। यह स्वर लहरी एक बाँसुरी की है जिसे बजाता है बजल संताल।

बारिसटाँड़ जैसे रूपक है टाँड़ जमीन और बारिश के प्रेम का, बजल और उसकी बाँसुरी भी वैसे ही सबके दिलों में बसा हुआ प्यार का ऐतिहासिक रूपक है। जीता-जागता और हमारी-आपकी तरह धड़कता हुआ। किसी बच्चे की तरह बिलकुल निर्मल और अनावरण रहित—एकदम नंग-धड़ंग!

बजल की बाँसुरी पर सब लोग फिदा थे। पूरा का पूरा राजमहल ही अपने सभी इनसानों, जीव-जन्तुओं और पेड़-पौधों के साथ झूम उठता था, जब बजल की बाँसुरी बजती थी। उसकी बाँसुरी का स्वर महुए से भी ज्यादा नशीला था। किसी को भी पल भर में मदहोश कर देने वाला।

लेकिन इलाके में एक आदमी था, कहना यह चाहिए कि आदमी जैसा था, पर आदमी नहीं था; वह था—सरौनी बाजार का महाजन रूप सिंह तँबोली। क्योंकि रूप तँबोली आदमी होता तो वह भी बजल की बाँसुरी का प्रेमी न होता क्या!

रूप सिंह तँबोली संताल परगना के अन्य जमींदारों और महाजनों की ही तरह एक नम्बर का सूदखोर और आदिवासीभक्षी भेड़िया था। उसने इलाके की शत-प्रतिशत आदिवासी आबादी को सूद में गलत-सलत तरीके से फँसाकर उनके जीवन की बाँसुरी के सुर को बन्द कर रखा था। बजल संताल का पिता

भी कभी उससे लिए मामूली-से कर्ज के बदले में ऐसे फँसा कि उनकी सारी जमीन तँबोली के कब्जे में गई और वो कर्जा ऐसा पत्थर बने कि उनके मरने के बाद भी परिवार की छाती पर लदा ही रहा।

1855 के हूल के दिनों में, जब बजल गबरू जवान है, पिता के मरने के बाद कर्जा अब उसकी छाती पर है। जमीन तो रही नहीं थी, किसी तरह जानवरों के बल पर, इधर-उधर लोगों के खेतों में काम करके अपनी जिन्दगी गुजर-बसर कर रहा है बजल। कोई चिन्ता नहीं। अल्हड़, अलमस्त और बाँसुरी का रसिया। बाँसुरी के सुरों में बसता है उसका प्राण।

30 जून के जुटान के लिए सूबा ठाकुर द्वारा भेजा गया 'साल सकम' (शाल वृक्ष के पत्ते) और 'ठाकुर का परवाना' (संतालों के सर्वोच्च ईश्वर यानी सृष्टिकर्ता की चिट्ठी) जब गाँव-गाँव घूमा तो उसके भी गाँव आया। उसने छूकर देखा 'साल सकम' में एक 'धाह' थी। अंग्रेजी राज, जमींदार और महाजनों से पीड़ित संतालों के जिन्दगी की धधक थी। उसने उस धाह को दिल-दिमाग में सहेजा और गाँव के संगी-साथियों के साथ पहुँच गया भोगनाडीह। उस दिन पूरे चाँद की रात थी।

महाजनों का लूट राज नहीं, जमींदारों का जुल्मी राज नहीं, अंगरेजों का अन्यायी राज नहीं...दिशोम से सब जान लेने वाला कीड़ा का सफाया करो... ठाकुर जीउ (सृष्टिकर्ता) का राज लाओ...हूल! हूल करो!!

और संतालों की तरह रूप सिंह तँबोली महाजन से पीड़ित बजल संताल के दिमाग में यह बात एकदम जम गई। तँबोली को सबका साथ है। पुलिस-दारोगा का, जमींदार का और अंगरेज लोग का। तँबोली महाजन की नींव पर टिका है अंगरेजी राज का महल। तँबोली को गिरा दो, सब अपने आप गिर जाएगा।

बस एक दिन, बजल ने सुबह उठकर प्रेम से बाँसुरी बजाई, कमर में प्रिय बाँसुरी खोंसी और कुल्हाड़ी लेकर जा धमका महाजन रूप सिंह तँबोली के घर।

बाहर से ही आवाज दी उसने, 'ओ महाजन मालिक, बाहर आओ। आज पूरा हिसाब साफ करने आया हूँ।'

तँबोली खुश हुआ। 'जरूर हरामजादा कहीं डकैती करके आया है। तभी इतना पैसा है उसके पास जिससे कि वह मेरा पूरा कर्जा एक ही बार में और आज ही उतार देगा।'

दाँत निपोरते हुए रूप सिंह बाहर आया। देखा तो बजल खाली हाथ खड़ा

है। उसने सोचा पैसा लँगोट की अंटी में बाँध रखा होगा। व्यग्र होकर बोला, 'चल, दे पैसा। चुका मेरा कर्जा। लोग तुम्हारी तरह मेरा कर्जा चुका दें, तो फिर मजा ही आ जाए।'

'सच कहते हो महाजन। मजा तो आएगा ही। ले अपना कर्जा।' कहकर कुल्हाड़ी का भरपूर वार उसकी गर्दन पर किया बजल ने।

न कुछ सोचने का वक्त, न भागकर जान बचाने का तनिक भी मौका। बिजली की भाँति कुल्हाड़ी चली और रूप सिंह तँबोली फिर किसी के जीवन को पान-सा चबाने लायक जिन्दा नहीं रहा।

बाजार के लोगों ने दौड़कर उसे तुरन्त घेर लिया। बजल न डरा, न भागा। वह हूल का लड़ाका था। ठाकुर जीउ के आदेश से उसने जीवन नष्ट करने वाले एक कीड़े का सफाया किया था।

पुलिस आई और रस्से में बाँधकर सिउड़ी थाना ले चली। रास्ते भर भीड़। प्रिय बाँसुरी वाले बजल ने हूल का नाम ऊँचा किया। उसने गर्व से बाँसुरी निकाली और बजाना शुरू कर दिया। लोग हतप्रभ! हूल का बाँसुरी वाला योद्धा। संतालों के मान-सम्मान का योद्धा।

सिउड़ी थाने में मुकदमा बनाकर सुनवाई के लिए उसे भागलपुर जेल भेज दिया गया। जेलर का बहुत शुक्रगुजार है बजल, जो उसने बाँसुरी साथ ले जाने दी, वरना जेल के गेट पर ही सब सामान जब्त।

बजल की बाँसुरी जेल में भी बजने लगी।

उसके जेल आने से वहाँ की फिजा बदल गई। जब-तब बाँसुरी की धुन पूरे जेल में घूमती रहती, निर्द्वन्द्व और आजाद। बाँसुरी के सुरों को कौन बाँध सकता है? न लोहा, न रस्सी। आदमी की तो औकात ही क्या है! वह जब बजल की छाती में भरे गुस्से और प्रेम से बाँस की पतली नली से फूटती है और उसकी सधी हुई उँगलियों के आरोह-अवरोह से अदृश्य नदी की तरह बहती है, तो सीधे छाती में ही समाकर दम लेती है। जैसे ऊँचाई से गिरता झरना कठोर से कठोर चट्टानों को पानी की कोमल बूँदों से उन्हें चूर-चूर कर देता है, वैसी थी उसकी बाँसुरी की धुन।

जेलर की जवान लड़की के कानों तक भी पहुँचती थी बाँसुरी की आवाज। सबसे हृदयवेधी होती थी रात-बेरात बजती बाँसुरी। इतनी कशिश, इतना कर्णप्रिय,

इतना दर्दीला कि जल्दी ही जेलर की लड़की उसकी बाँसुरी सुनकर तड़पने लगी।

जेलर पिता से उसने निवेदन किया, 'प्लीज, यह बाँसुरी बन्द करवा दीजिए। मेरा दम निकलता है।'

जेलर पिता ने बेबसी व्यक्त की, 'जेल के मैनुअल के हिसाब से मैं उसे ऐसा आदेश नहीं दे सकता। फिर उसकी बाँसुरी जब तक बजती है, पूरे जेल में शान्ति बनी रहती है। कैदियों को सँभालने का जो सिरदर्द है, वह तो आधा उसके बाँसुरी बजाने से ही हल हो जाता है।'

'तो मैं क्या करूँ?' बेटी ने बेचैनी से पूछा।

'तुम अपने दिल को सँभालो। एक आदिवासी की बाँसुरी से, जिसे न रहने का ढंग है और न जीने का शऊर, जो न आदमी है न देवता, उससे दिल लगाना मालिकों का काम नहीं है। वैसे भी, उसको फाँसी ही होगी।' जेलर बाप ने बेटी को समझाया।

पर दिल ने न अतिप्राचीन काल में समझा है, न आधुनिक काल में। और बजल की बाँसुरी का समय तो इन दोनों के बीच का है।

बेटी रोज बाँसुरी सुनती। दिल बन्द नहीं कर सकती थी सो कान बन्द कर लेती। तकिए में सिर को छुपाए बाँसुरी के शहद को दिल तक पहुँचने से रोकने का हरसम्भव प्रयत्न करती।

एक शाम नहीं रहा गया तो जा पहुँची कैदियों के उस वार्ड में जहाँ बजल को रखा गया था। बजल ने उसे देखा तक नहीं, पर वार्ड के दूसरे कैदी अचम्भे में। बाप रे! बाँसुरी में इतना जादू!

बेटी चुपचाप बिना उससे कोई बात किए, एक भी शब्द बोले, अपने बँगले में लौट आई।

दूसरे दिन जेलर पिता से बेटी बोली, 'बाँसुरी वाले को दूसरे वार्ड में रखवा दीजिए। जिसमें उसके सिवा और कोई न हो। जहाँ मैं उसकी बाँसुरी बिना किसी और की उपस्थिति के बिना सुन सकूँ।'

वह जेलर की एकमात्र बेटी थी। उसके कलेजे का टुकड़ा थी। जेलर की जान बसती थी बेटी में। बोला, 'ऐसा भी नहीं कर सकता। जेल के नियमों से मजबूर हूँ।'

'तो फिर मेरा ही बिस्तर उसके वार्ड में लगवा दीजिए। मैं उसके ही वार्ड में रहूँगी।' बेटी का इरादा बहुत कठोर था।

लाडली बेटी का बाप उसके कदमों में झुक गया, 'नियमानुसार मैं ऐसा भी नहीं कर सकता...मुझे माफ कर दो।'

बेटी दिल से बेबस हो चुकी थी। बजल की बाँसुरी से निकलती संगीत लहरियों से लाचार थी। उसके खयालों में बजल और उसकी बाँसुरी के सुरों के अलावा अब किसी के लिए कोई जगह नहीं रही थी।

सिर पटकते हुए जेलर पिता से बोली, 'नियम नियम नियम...हर बात पर नियम। उसकी बाँसुरी की धुनों पर आपकी सम्राज्ञी का कोई नियम क्यों नहीं चलता?'

सन्तान से प्यार और सन्तान की उम्र, अक्सर माता-पिताओं को टूटने या फिर तोड़ देने पर मजबूर कर देते हैं। जेलर पिता ने टूटना स्वीकार किया। सोचा कुछ ही दिनों की तो बात है। फाँसी तो होगी ही इस बाँसुरी वाले को। खिलौना टूट जाएगा और बेबी खिलौने को भूल जाएगी।

बजल को अलग वार्ड में रख दिया जेलर ने।

बेटी खुश हो गई।

अब वह जब-तब, जब भी उसका जी चाहता बजल के वार्ड में चली जाती और बाँसुरी सुनती। कभी-कभी तो खाना-पीना सब कुछ भूल दिन-दिन भर बजल के पास ही बैठी रहती।

जेल में बन्द चोर-डकैत और दूसरे तरह के अपराधों में बन्द कैदी जेलर के पीठ पीछे और कभी-कभी उसके मुँह पर भी कह देते, 'ससुर जी!' तब जेलर का गुस्से से तमतमाया चेहरा ललमुँहे बन्दर की तरह हो जाता। जेल के अहाते में कैदियों का ठहाका गूँज उठता।

जेलर दाँत पीसकर रह जाता।

एक तरफ बजल और दूसरे संताल योद्धाओं पर कोर्ट में मुकदमा चलता रहा, तो दूसरी तरफ जेलर की बेटी धीरे-धीरे बाँस की जगह खुद ही बाँसुरी बनती चली गई। पहले-पहल बहुत हिचका था बजल। कहाँ वह होड़ और कहाँ वह सात समन्दर पार की दिकू, दोनों का कैसा जोड़!

पर जैसे शुरू-शुरू में उसे बाँसुरी खींचती थी और वह भाग जाया करता था, कुछ ऐसा ही हाल हुआ उसके और जेलर की बेटी के बीच भी। उसकी साँसें, उसका वजूद, उसकी आत्मा धीरे-धीरे जेलर की बेटी के साथ एकाकार होती चली गई।

लोग जल्दी ही जान गए थे, जेल के एक खास वार्ड में, दो लोग मिलकर एक ही बाँसुरी में अपनी साँसों से प्राण फूकते हैं।

आखिरकार कोर्ट ने सजा सुना दिया।

बजल को फाँसी चढ़ा दिया जाए।

यह खबर आते ही बेटी के प्राण सूख गए और दिन-ब-दिन मर रहे जेलर बाप की जान में जान आ गई।

जेलर की बेटी और बजल एक-दूसरे को भींचकर खूब रोए। इतना रोए, इतना रोए कि समूचा जेल उनके खारे आँसुओं में डूब गया। घबराकर जेलर बाप ने दूसरे दिन से बेटी के जेल में जाने पर रोक लगा दी।

जेल के हत्यारे कैदी, जो अपराधी थे, जो हूल के कारण जेल में नहीं थे, उन्होंने एक नया नारा दिया—

'जो बाप बेटी का हत्यारा है

वह नहीं जेलर हमारा है...'

जेलर ने तय किया, वह और अपमान नहीं सहेगा। बजल की फाँसी करवा बेटी को लेकर चुपचाप अपने वतन वापस लौट जाएगा।

फाँसी के एक दिन पहले बेटी ने जेलर बाप से गिड़गिड़ाकर कहा, 'जान ले ही लोगे मेरे बाँसुरी की, कम से कम आखिरी बार तो उसे एक बार सुन लेने दो। और यह भी वादा करो कि फाँसी के समय मुझे अपनी जान निकलती देखने दोगे।'

जेलर बाप चोरों, बदमाशों, ठगों, गिरहकटों, डकैतों, हत्यारों और देशभक्तों की नस-नस पहचानता था। परन्तु प्रेमियों से उसका वास्ता इससे पहले कभी नहीं पड़ा था। प्रेमियों की फितरत से वह बिलकुल अनजान था। सो उदारता दिखाते हुए झट से बेटी की दोनों बातें मान ली।

बेटी ने खूब बढ़िया से साज-सिंगार किया। कीमती से कीमती इत्र-फुलेल लगाया। सफेद ब्लाउज, सफेद समीज, सफेद गाउन...सब सफेद पहना और अपने प्रियतम बाँसुरी से मिलने चल पड़ी। जिस-जिस वार्ड के सामने से वह गुजरती, उस वार्ड के कैदी जोर से आह भरते और पागलों की तरह अपना सिर दीवारों पर पटकने लगते। जैसे मियाँ मजनू रेगिस्तान के टीलों पर अपना सिर पटका करता था।

जेलर की बेटी नपे-तुले कदमों से बजल के वार्ड में समा गई।

उस मुलाकात के दौरान किसी ने भी बाँसुरी की आवाज नहीं सुनी। जब तक वह वार्ड में और जेल के अहाते में रही, एक गमगीन खामोशी दसों दिशाओं में पसरी रही। लगभग दो घंटे की यह जानलेवा चुप्पी तभी खत्म हुई जब जेलर की बेटी की परछाईं भी जेल के अहाते से बहुत दूर चली गई।

बजल की फाँसी का दिन तय था, तो समय भी।

फाँसी के पहले नियमानुसार सभी खड़े थे। जल्लाद, धर्मगुरु, डॉक्टर, वकील, जेलर खुद और उसके विशेषाधिकार के कारण उसकी बेटी।

बजल को वहाँ मौजूद लोगों में से किसी में कोई रुचि नहीं थी। उसकी चमकती हुई आँखें जेलर की बेटी पर गड़ी थीं, जो कहीं से उदास नहीं थी। वह मुस्कुरा रही थी और ऐसे ठाठ व बेफिक्री से खड़ी थी, मानो जल्लाद अभी उन दोनों का विवाह करवाने वाला है।

नियमानुसार जेलर बाप ने बजल से पूछा, 'फाँसी से पहले प्रार्थना सुनना पसन्द करोगे? इससे मौत तकलीफदेह नहीं होगी और प्रभु तुम्हें स्वर्ग में अपने बराबर बिठाएँगे।'

बजल चौंका। यह प्रभु कौन है? यह स्वर्ग किस तरह की चीज है और कहाँ है जो प्रार्थना करने से प्रभु उसे अपने पास स्वर्ग नामक किसी चीज में बैठाएगा?

बजल ने मरने के समय ज्यादा दिमाग लगाना ठीक नहीं समझा, इसलिए तुरन्त जेलर से पूछ लिया, 'यह प्रभु कौन है?'

जेलर गम्भीरता से बोला, 'सर्वशक्तिमान! स्वर्ग का राजा। हम उसे जीसस कहते हैं।'

'और स्वर्ग क्या चीज है?' उसने भोलेपन से फिर पूछा।

'स्वर्ग वह अलौकिक जगह है, जहाँ पुण्य आत्माएँ रहती हैं। जहाँ कोई दुख नहीं रह जाता।'

'अच्छा! तो पहले बताना चाहिए था न। सूबा ठाकुर को, हमको और इतना सारा संताल लोगों को बेकार में हूल करना पड़ रहा है। तुम्हारे स्वर्ग के राजा को जाकर प्रार्थना कर देते, वो हम सब संताल लोगों को स्वर्ग में बुला लेता, और हम सबके दुख खतम हो जाते। इतना अच्छा बात भी तुम लोग फाँसी चढ़ाने समय बता रहे हो। कितना बेईमान हो तुम सब।'

जेलर ने घड़ी देखी। उसकी फाँसी में 22 मिनट रह गए थे। समय को देखते हुए उसने जंगली, गँवार और असभ्य, बर्बर हत्यारे से, जिसने एक व्यापारी का

सिर सरेबाजार काट डाला था, उलझना ठीक नहीं समझा। उसने धर्मगुरु को इशारा किया।

धर्मगुरु ने पहले से तय किताब के एक पृष्ठ को बीच में से खोला और कुछ बुदबुदाने लगा। बजल इस दौरान बिना पलक झपकाए जेलर की बेटी को देखता रहा।

सिर झुकाए कनखियों से बजल की हरकत को देख रहे जेलर ने मन ही मन उसे भद्दी गाली दी। सोचा, उसका बस चलता तो अभी उसे फाँसी पर टाँग देता। लेकिन नियमों से मजबूर था। वह उसे नियत समय से एक सेकंड न पहले और न बाद में फाँसी दे सकता था। दाँत पीसकर रह गया।

प्रेयर यानी प्रभु की आराधना खत्म होते ही 'आखिरी इच्छा' की रस्म पूरी करने के लिहाज से जेलर बोला, 'मरने के पहले कोई आखिरी इच्छा?'

पहले की ही तरह खिलंदड़ेपन के साथ बजल ने कहा, 'आखिरी क्या, बस एक ही इच्छा है हम संतालों की। तुम इंगरेज सब हमारा दिशोम छोड़कर चले जाओ। पर तुम लोगों में हमारी यह इच्छा पूरी करने की हिम्मत नहीं है। ऐसा करो, मुझे फाँसी से पहले एक बार बाँसुरी बजा लेने दो?'

'ठीक है।' उसने एक सिपाही को इशारा किया। वह तुरन्त उसकी बाँसुरी ले आया।

बजल ने जेलर की बेटी पर नजर डाली और हौले से बाँसुरी को अपने होंठों से छुआ। छातियों में साँस भरी और फूँकना शुरू किया। बाँसुरी का स्वर आहिस्ता-आहिस्ता फाँसी की कोठरी में किसी नवजात बच्चे की तरह हुलसने लगा। मीठा-मीठा घुलने लगा। शराब-शराब नशे-सा चढ़ने लगा। ऐसा चढ़ा, ऐसा चढ़ा कि सब बेसुध। किसी को होश नहीं।

फाँसी की पूरी कोठरी और उसमें मौजूद लोग जाने कब तक बाँसुरी के जादुई नशे में डूबे रहे, यह सिर्फ दो लोग जानते थे। बजल खुद और जेलर की बेटी। जब वे सब होश में हुए तो घड़ी में हो रहा समय फाँसी के नियम से बाहर जा चुका था। जेलर ने माथा पीट लिया।

डॉक्टर और धर्मगुरु कानूनन समय बीत जाने के बाद फाँसी देने के पक्ष में नहीं थे, तो जल्लाद और वकील जेलर को समझा रहे थे, 'कौन देखने वाला है। राज अपना है। चढ़ा दीजिए फाँसी पर। वरना आपका कैरियर, प्रतिष्ठा सब चला जाएगा।'

धर्मगुरु ने डराया, 'अगर तुमने ऐसा किया तो ईश्वर तुम्हें नरक में भी जगह नहीं देगा।'

जेलर अपने बाल नोचने लगा। इधर कुआँ, तो उधर खाई।

बजल और जेलर की बेटी उन सबकी परेशानी का मजा लेते हुए एक-दूसरे को देख-देखकर मुस्कुरा रहे थे।

जेलर को छोड़कर वहाँ मौजूद चार लोगों—जल्लाद, धर्मगुरु, डॉक्टर और वकील—में मत विभाजन कराने का भी कोई फायदा नहीं था।

बेटी ने तब जेलर बाप को सलाह दी, 'परेशान मत होइए। कागज में फाँसी चढ़ा दो इस बाँसुरी को और इसे जाने दो मेरे साथ। आपका कैरियर भी सुरक्षित और नरक से बच जाने की भी पूरी गारंटी।'

'और यदि इन चारों में से किसी ने कभी मुँह खोल दिया तो...?' आशंकित होकर जेलर बाप ने बेटी से सवाल किया।

बेटी हँसी, 'इतने बड़े अधिकारी हो, इन चार मामूली लोगों को नहीं सँभाल सकते? आपका कैरियर ऐसे ही किसी छोटे-से जेल में सड़ जाएगा।'

जेलर बाप को पहली बार महसूस हुआ प्रेम व्यक्ति को कितना दुस्साहसी बना देता है। उसके पास बेटी की सलाह मानने के अतिरिक्त कोई उपाय नहीं था। इससे उसकी नैतिकता भी बची रह जाती और साम्राज्य के प्रति निष्ठा और ईमानदारी से कर्तव्य निभाने का वचन भी।

कुछ और ज्यादा नहीं सोचकर जेलर उन चारों को एक ओर कोने में ले गया। न जाने उन सबसे क्या कहा कि चारों जेलर को बहुत-बहुत शुक्रिया, धन्यवाद, थैंक्स कहते हुए फाँसी की कोठरी से बाहर चले गए।

उनके जाते ही जेलर बेटी और बजल के पास आकर बोला, 'तुम दोनों की सजा यही है कि रात होने तक यहीं रुको...मैं तुम दोनों के यूरोप जाने की व्यवस्था करता हूँ। रात होने से पहले यह इलाका छोड़ना होगा। इससे पहले तुम्हारे बाँसुरी की पहचान बदलनी होगी ताकि तुम इसे गुपचुप तरीके से अपने साथ ले जा सको। बस्स...बाकी मैं निपट लूँगा। एक बात और...' कहते-कहते जेलर ने बजल के हाथ से बाँसुरी छीन ली '...जब तक यूरोप नहीं पहुँच जाते, वादा करो, बाँसुरी नहीं बजाओगे।'

बजल ने सुसभ्य दामाद की तरह सिर 'हाँ' में हिला दिया।

जेलर ने गहरी साँस भरी और तेजी से फाँसी की कोठरी से बाहर चला गया।

जेलर पिता के जाते ही बेटी ने अपनी बाँहें बाँसुरी के गले में डाल दी, 'तो सचमुच तुम बाँसुरी नहीं बजाओगे। वह भी यूरोप पहुँचने तक। मैं तो मर ही जाऊँगी।'

'बजाऊँगा न...तुम जो हो मेरी बाँसुरी!'

योद्धा प्रेमी बजल से जुड़ी कई किंवदंतियाँ संताल समाज में प्रचलित हैं। लोग उसे 'बीरबन्ता बजल' के रूप में याद करते हैं। उसका साहस और प्रेम किस्सों और गीतों के रूप में संताल समाज में प्रचलित है। उससे जुड़ा ऐसा ही एक गीत है—

तोकोय हुकुमते बजल तोकोय बोलेते
रूपुसिंग तँबोली दोम माक् केदेया?

सिदो हुकुमते नायोगो कान्हु बोलेते
रूपुसिंग तँबोली दोञ माक् केदेया?

ती रेताम सीकड़ी बजल जांगा रेताम बिउड़ी
नामको नीदिम कान बजल सिउड़ी थानाते

ती रेतीञ तिरियो नायोगो, जांगा रेतीञ लिपुर
निञ दोञ चालाक् कान नायोगो सिउड़ी मेला ञेल

डोम्बारी एक, डुम्बर दो

आषाढ़ (जुलाई 1894) का महीना था और बादल लबालब पानी से भरे हुए थे। इक्का-दुक्का छोटी-छोटी पहाड़ियों और जंगल के ऊपर काले-काले बादलों का रेला वैसे ही लगा हुआ था, जैसे नीचे यहाँ चलकद में बस रही और हर पल बन रही इस नई बस्ती में।

चलकद की नई बस्ती दिखते ही साली की जान में जान तो आई ही उसके कदमों में भी तेजी आ गई। लगातार चलते हुए वह बेदम हो चुकी थी। सुकोमल पर मजबूत पाँव बुरी तरह से दुख रहे थे। किसी तरह खुद को उठाए हुए वह बस्ती के पास पहुँची और थकान से चूर एक डुम्बर पेड़ की मजबूत तने पर, जिस तरह से भारी बारिश के कारण कमजोर मिट्टी की दीवार भसक जाती है, वह भी भसककर बैठ गई। वहाँ लोगों की अपार उपस्थिति और उनकी गतिविधियों को देखकर उसका मुँह खुला का खुला रह गया।

चलकद के इस हिस्से में किसी बड़े हाट (बाजार) जैसा नजारा था। चारों तरफ आदमी ही आदमी। उसने चारों तरफ देखा, कुछ नई झोंपड़ियाँ पहले से बनी हुई थीं तथा कुछ और नई झोंपड़ियों को बनाने के लिए जवान औरतें-मर्द, बूढ़े और बच्चे लगे हुए थे। बारिश अभी रुकी हुई थी, पर जमीन पहले हुई बरसात का पानी से गीली थी। सैकड़ों लोगों की आवाजाही के कारण कई जगहों पर, जहाँ जमीन सख्त नहीं थी, कीचड़ हो गया था। सब अपने काम में मगन थे और शायद वहाँ उसकी तरह इतने नए चेहरे थे कि किसी का भी ध्यान किसी भी चेहरे पर नहीं था।

जब थोड़ा आराम लगा तो साली यह सोचते हुए उठ खड़ी हुई कि इस तरह से अकेले बैठने तो वह बुरुडीह से चलकर नहीं आई है। वह एक-एक चेहरे पर

आँख गड़ाए हुए उधर चल दी, जिधर झोंपड़ियाँ बनी हुई थीं। प्यास से उसका गला सूख रहा था। वह पहली झोंपड़ी के आगे रुक गई। अन्दर झाँका तो कोई नहीं था। उसने इधर-उधर देखा, कोई ऐसा नहीं लगा जो इस झोंपड़ी का हो। वह अन्दर घुस गई। डुभा (कटोरा) में घड़े से पानी निकाला और पीने लगी। भरपेट पानी पीकर तृप्त हुई। बाहर निकलने को पलटी तो एक अधेड़ उम्र की औरत सामने खड़ी थी। वह सकपका गई।

उसने दोनों हाथों को उठाकर 'जोअर' किया और बोली, 'बहुत प्यास लगी थी...'

औरत मुस्कुराई। उसके करीब आकर उसके माथे पर स्नेह से हाथ फेरा। उसे बैठने का इशारा किया। साली थकी तो थी ही इशारा पाते ही बैठ गई। वह औरत भी उसके सामने पालथी मारकर बैठी।

'किस हातु (गाँव) की हो?'

'बुरुडीह...'

'अकेले ही आई हो या कोई संग है?'

'अकेले ही...'

'माँ-बाबा...?'

'हातु में ही हैं...'

औरत बात करते-करते खाना निकालने लगी। भात देखकर साली की भूख, जो पहले से ही भड़की हुई थी, और भड़क गई। सोचा कि माँग ले। पर उसका मुँह नहीं खुला।

औरत ने सखुआ पत्ते की थाली में निकाला हुआ भात और साग उसके सामने रख दिया।

साली उसके स्नेह से दब गई। उसने आभार भरी नजरों से उस ममतामयी औरत को देखा और खाने लगी।

खाते समय औरत ने उससे कोई बात नहीं की। उसको चुपचाप निहारती रही। सोलह-अठारह से ज्यादा की तो नहीं लग रही थी साली। छरहरा पुष्ट शरीर। चिकना साँवला रंग। गोल चेहरा। पके हुए पुटुस के फलों की तरह घुँघरूनुमा घने केश। देह पर लाल पड़िया सूती साड़ी।

खाना खाने के बाद औरत उससे और बतियाना चाहती थी। उसके बारे में और भी जानना चाहती थी। लेकिन पेट के भरते ही उसकी पलकें मुँदने लगीं

और उसकी बात के शुरू होते ही वह चटाई पर बेसुध लुढ़क गई।

उसको सोता देख औरत झोंपड़ी से बाहर निकल आई और उस तरफ चल दी जिधर लोग काम पर जुटे हुए थे।

साली की नींद खुली तो बाहर अँधेरा था। चौपाए की तरह वह झोंपड़ी से बाहर निकली। उठकर अँगड़ाई ली और अँधेरे में देखने की कोशिश की। सब तरफ घुप्प अँधेरा था। कुछ नहीं दिखा। उसे पेशाब लगी थी। वह उधर बढ़ी जिधर झोंपड़ियाँ नहीं थीं, पेड़ थे।

उधर से लौटते हुए उसने एक झोंपड़ी में उजाला देखा। उसने सोचा शायद यह उसी मरङ (महान) आत्मा की झोंपड़ी होगी, जिसके बारे में उसने बहुत कुछ सुना था और अपना दुखड़ा लेकर उससे मिलने यहाँ आई थी। लोगों ने बताया था उसके पास हमेशा आग जलती रहती है। सब तरफ निस्तब्धता है। लोग सो रहे हैं। अभी ही उसे उसके सामने हो जाना चाहिए। पता नहीं भीड़ में वह उससे अपनी बात कह पाएगी भी या नहीं।

उसने उसी झोंपड़ी में से, जहाँ उसे आते ही आश्रय मिला था, पानी लिया। हाथ-मुँह धोया और प्रकाश वाली झोंपड़ी की तरफ चल दी। झोंपड़ी के पास पहुँचकर साली के पैर ठिठक गए। कुछ लोग सामने ही बैठे हुए थे। वह संकोच में पड़ गई। वापस लौटने को हुई कि उनमें से किसी ने आवाज दी। वह रुक गई।

'यहाँ आओ...'

साली दबे कदमों से उनके पास गई।

'कौन हो? कहाँ से आई हो?'

'बुरुडीह की हूँ...साली।' हिचकचाते हुए उसने जवाब दिया।

'धरती आबा से मिलने आई हो।'

'हाँ...'

'तो लौट क्यों रही थीं...?'

अभी साली उनको कोई जवाब देती, भीतर से बीस साल का एक सलोना नवयुवक बाहर निकला। अँधेरे में भी उसकी सुनहली देह चमक रही थी। साली की आँखें खुशी से फट गईं। ऐसी काया तो सिर्फ उसी की हो सकती है। वह भावविभोर होकर एकदम से उसके सामने गिर पड़ी।

दो लोगों ने लपककर उसे उठाया। वह खुशी से काँप रही थी और चेहरे पर

आँसु ढरक आए थे। होंठ सिल गए थे और पूरी ताकत लगाकर भी वह कुछ भी बोल पाने में खुद को लाचार पा रही थी।

नवयुवक उसके सामने पूरी तरह से शान्त खड़ा था।

अगले ही पल उस नवयुवक ने, जो धरती आबा था, जो सुगना और करमी का बेटा बिरसा मुंडा था, लोग जिसे 'हरम होड़' का मसीहाई पुत्र मानते थे, साली के माथे पर अपना हाथ रख दिया। साली का चित्त उसके हाथ रखते ही स्थिर हो गया। भीतर व्याप्त संकोच, भय, विषाद, दुख क्षण भर में गायब। देह के भीतर कुछ खिलखिला उठा।

'हमें अपनी सेवकाई में रख लो धरती आबा। तुम्हारे अलावा अब कोई और आसरा नहीं...' समर्पण भाव में डूबी साली ने बिरसा के सामने वह निवेदन रख दिया, जिसके लिए वह आई थी।

'मैं कौन होता हूँ आसरा देने वाला। सर्वशक्तिमान सबका संरक्षक है। तुम पर भी उसी का साया है। अपने लिए झोंपड़ी डाल लो और रहो।'

'मैं तुम्हारी झोंपड़ी की देखभाल करने की इच्छा लेकर आई हूँ। तुम्हारी सेवा के अलावा अब मेरी जिन्दगी का और कोई सार नहीं। मुझे अपने पास आसरा दे दो।'

उसकी व्याकुलता, परम आग्रह और समर्पण का भाव देखकर बिरसा ने एक पल भी नहीं सोचा। साली के निर्मल चेहरे को कुछ क्षण देखा और कहा, 'वचन दो, परछाईं की तरह अँधेरे में भी साथ नहीं छोड़ोगी?'

'वचन देती हूँ।'

'तो फिर आज से तुम मेरी हो। मुझे मालूम है, तुम अकेली नहीं आई हो। सर्वशक्तिमान, धरती, आसमान और पुरखों को सुनाकर कहता हूँ...सबका पिता हूँ तो तुम्हारे बच्चे का पिता भी मैं ही हूँ। हम सब उसे 'परीबा' कहेंगे। आओ, तुम दोनों माँ-बेटे का स्वागत है।' कहकर बाँहें फैला दी बिरसा ने।

सम्मोहित साली बेहिचक उसकी बाँहों में चली गई।

जो लोग वहाँ थे, वे सब खुशी से दुरङ (गीत) गाने और नाचने लगे।

सूरज बादलों के झुरमुट से झाँकने लगा था।

उस दिन जिसने यह वाकया सुना अचम्भित रह गया। सचमुच बिरसा अगमजानी है। वह सब कुछ जानता है। उसने बीमारों को स्वस्थ किया है। अकाल में लोगों की सेवा की है। दुखियों का दुख दूर किया है। उसने पाँच महीने

की गर्भवती, बगैर परिचय पूछे धोखे का शिकार हुई साली को स्वीकार किया। उसके होने वाले बच्चे को अपना नाम देने की घोषणा की है। वह महान है। वह प्रेममय है। उसका प्रेम आकाश की तरह अनन्त है। वह मुंडाओं का स्वाभिमान है। वह पुरखा दिसुम (देश) में नए धर्म का उगता हुआ सूरज है।

साली जो एक बार बिरसा की झोंपड़ी में घुसी तो उसने बिरसा का सारा घरेलू काम सँभाल लिया। वैसे खाने-पीने और दूसरी जरूरतों के लिए बिरसा को पहले भी कोई दिक्कत नहीं थी। उसको चाहने वालों की कमी नहीं थी। अनुयायियों की संख्या हर रोज बढ़ती जा रही थी और हर कोई उसका व्यक्तिगत काम करने के लिए प्रस्तुत रहता था। औरतें भी मर्द भी। मतियस मुंडा की बहन की इच्छा तो उससे विवाह करने की थी। परन्तु बिरसा ने उसका प्रस्ताव स्वीकार नहीं किया था।

एक दिन मौका पाकर साली ने गया मुंडा की बेटी नागी से पूछा, 'धरती आबा ने मतियस की बहन से क्यों नहीं सादी किया?'

'नहीं जानेंगे,' बोली थी नागी। फिर उसने साली के उभर आए पेट को देखा और बोली, 'तुम बहुत खयाल रखती हो उसका। धरती आबा ने तुमको अपनाकर सही काम किया। उसको औरतों की कोई कमी नहीं थी। लेकिन उसने तुमको ही चुना।'

चलकद में आए हुए साली को तीन महीना हो गया था। नागी की बात सुनकर उसका चेहरा खिल गया। जैसे-जैसे उसका गर्भ विकसित हो रहा था, उसकी देह और भर आई थी। चेहरे पर लावण्य पहले से बढ़ गया था। अपने दोनों पैरों को पसारते हुए साली बोली, 'उसने क्यों हमको रखा इसको तो वही जानेगा...पर हमारे लिए तो वही एक आसरा था। उसका प्यार नहीं मिलता तो मेरा जीना मुसकिल था।'

'बिरसा तो सबका आसरा है।' कहकर नागी जाने को हुई।

साली ने उसका हाथ पकड़ लिया, 'कुछ देर और बइठो न।'

नागी वापस बैठ गई।

माघ महीने के पहले पखवाड़े के चौथे दिन दोपहर को साली ने बच्चे को जन्म दिया। बिरसा के कहे मुताबिक पैदा हुई सन्तान लड़का था। जब वह दाँतों को

भींचकर बच्चे को जन्म दे रही थी, उस समय, प्रसव-दर्द की असहनीय गहरी नदी में डूबते हुए समय उसका हाथ बिरसा ने ही थामा था, उस आदमी ने नहीं, जो उसे छोड़कर भाग चुका था। लोगों ने उसे बताया कि जब वह नए जीव को लाने के लिए मछली जैसी छटपटा रही थी, उस वक्त बिरसा बाहर खड़ा कुछ मन्त्र जैसा कुछ बुदबुदा रहा था। जैसे ही उसके कानों में बच्चे के रोने की आवाज आई उसने सर्वशक्तिमान को धन्यवाद कहा और झुककर धरती को चूम लिया था।

मौसम का चक्र घूमकर फिर से आषाढ़ पर आ गया था।

सुबह-सुबह का समय था। रात से हो रही बारिश अब भी जारी थी। बारिश की आवाज सुनते हुए साली ने बिरसा की गोद में खेलते परीबा को ममत्व से देखा। सोचने लगी समय कैसे बीत जाता है। एक साल पहले इसी आषाढ़ के महीने में तो वह बिरसा के पास आई थी। ऐसी ही बारिश में, ऐसे ही माहौल में। लोग बढ़ गए हैं, झोंपड़ियों की संख्या भी पहले से दोगुनी हो गई है, लेकिन हर दिन एक नई झोंपड़ी बनने का सिलसिला रुका नहीं है। उसने अपना सिर प्यार से बिरसा के कन्धे पर रख दिया।

अचानक चार-पाँच नए लोग झोंपड़ी में घुस आए। वे सब मुंडा आदिवासी नहीं लग रहे थे। उनमें से एक ने, जिसके चेहरे पर बड़ी-बड़ी मूँछ थी, उसने बिरसा को पकड़ लिया। एक के हाथ में रस्सी थी। उसने आगे बढ़कर बिरसा को रस्सी में बाँधने की कोशिश की। साली जंगली बाघ की तरह चीखते हुए उन पर झपटी।

साली की चीख सुनकर तुरन्त लोग जुट गए। किसी को समझते देर नहीं लगी कि ये लोग पुलिस के हैं और बिरसा को पकड़ने आए हैं। बिरसा के बाबा सुगना, मकदारो और सुन्दर मुंडा ने सिपाहियों को धकेलकर बाहर निकाल दिया। अब तक बिरसा के सैकड़ों अनुयायी वहाँ जमा हो गए थे। सबके हाथों में तीर-धनुष, टाँगी और बलुवा लहरा रहे थे।

पुलिस वालों में से एक, जो शायद हेड कॉन्सटेबल था, गुस्साकर चीखा, 'तुम लोग सरकारी काम में बाधा डाल रहे हो। हम बिरसा को ले जाने आए हैं। दंगा करोगे तो तुम सबको भी जेल में डाल दिया जाएगा।'

बिरसा के लोग उत्तेजित थे। उन्हें सिर्फ अपने धरती आबा के आदेश का

इन्तजार था। साली बच्चे को गोद में लिये बिरसा के सामने खड़ी थी।

शान्त बिरसा आगे बढ़ा। इशारे से लोगों को नियंत्रित रहने का संकेत दिया और कॉन्सटेबल से बोला, 'मेरा क्या कसूर है जो सरकार मुझे पकड़ना चाहती है। मैं कोई दंगा नहीं फैला रहा, सरकार के विरोध में कोई काम नहीं कर रहा... मैं तो लोगों को सिर्फ नेम-धरम की बात कहता हूँ।'

'ये बात तुम कचहरी में कहना। मुझे तो तुमको पकड़कर लाने का आदेश मिला है...' जोर से गरजकर बोला हेड कॉन्सटेबल ने।

कॉन्सटेबल की गरज सुनते ही साली का गुस्सा आग हो गया। बच्चे को लिये-लिये ही वह कॉन्सटेबल के करीब पहुँची और उसे जोर से धक्का दिया, 'जान चाहते हो तो भाग जाओ। ई हम मुंडा लोग का दिसुम है। यहाँ कोई सरकार-हाकिम का राज नहीं चलेगा।'

अपमानित कॉन्सटेबल खून का घूँट पीकर रह गया। उसका चेहरा एकदम तमतमा गया था। पर वहाँ लोगों की भीड़ और उनके इरादे को समझकर उसने चुप ही रहना उचित समझा।

बिरसा ने शान्त स्वर में उससे कहा, 'लौट जाओ। हम हिंसा पसन्द नहीं करते। पर जानवरों से बचने के लिए हिंसक होना पड़ता है।'

तब तक चौकीदार सुका, कोचाँग गाँव का ईसाई प्रचारक पौलुस और ईसुफ खाँ कॉन्सटेबल कोई दो सौ आदमियों को लेकर आ गए थे। इनमें अधिकतर महावत, पठान, बिहारी और कुछ मुंडा आदिवासी भी थे। उनके आते ही हेड कॉन्सटेबल बिरसा को पकड़ने के लिए आगे बढ़ा।

अब बिरसा के लोग कहाँ मानने वाले थे। उन्होंने उन सभी को घेर लिया। अपने तीरों से उन्हें कोंचने लगे। बिरसा एक झोंपड़ी पर चढ़ गया और अपने अनुयायियों से बोला, 'कोई मत डरो। आबुआ राज सुरू हो गया है। अंगरेजी राज का नास निसचित है। इनकी बन्दूकें नाकाम हो जाएँगी। ये लोग मुझको नहीं पकड़ सकते। इन सबको यहाँ से बाहर करो।'

चलकद में जमा हजार-बारह सौ की भीड़ खुशी से चीखने-चिल्लाने लगी। वे सब सिपाहियों और उनके साथ आए लठैतों को धकेलने लगे। लाठियाँ, भाले, कुल्हाड़ियाँ लहरा रही थीं। तीर तने हुए थे।

उनको भगा देने के बाद बिरसा जब झोंपड़ी में आया तो साली उससे लिपटकर रोने लगी। बिरसा ने उसके आँसू पोंछते हुए कहा, 'रोओ मत। सरकार

हमसे डर गई है। वह हमारे नए धरम से डर गई है। दिल को मजबूत करो। मैं नहीं रहूँगा तब भी आबुआ राज का यह अभियान नहीं रुकना चाहिए। वचन दो...'

साली ने हाँ में सिर हिलाया और उससे और जोर से चिपक गई।

इस घटना के दस दिन भी बीते नहीं होंगे कि बिरसा को चलकद में गिरफ्तार कर लिया गया। आधी रात के समय। उस समय चलकद में सौ से ज्यादा लोग नहीं थे। सभी प्रमुख गुरु, अगुआ और लड़ाके लोग आगे की तैयारी के लिए चलकद से बाहर गए हुए थे। यह बात शायद सरकार को पता थी। राँची का पुलिस सुपरिंटेंडेंट खुद आया था। बहुत बड़ी फौज लेकर। साली और चलकद में मौजूद लोग कुछ नहीं कर पाए। धरती आबा को बेड़ियों में जकड़ लिया गया और पालकी में डालकर ले गए।

जाते हुए बन्दी बिरसा के चेहरे पर मुस्कान थी।

तीन महीने हो गए। बिरसा नहीं लौटा। एक दिन जब साली और बिरसा के प्रमुख साथियों को पता चला कि बिरसा को खूँटी लाया गया है सजा देने के लिए तो साली करीब 50-60 लोगों के साथ खूँटी थाना पहुँच गई। थानेदार इतने सारे लोगों को देखकर अचकचा गया। साली और साथ गए लोगों ने कहा कि उनको बिरसा से मिलने दिया जाए। थानेदार बोला, वह नहीं मिलवा सकता है। बिरसा पर मुकदमा चल रहा है। पर लोग अड़े रहे।

दोपहर होते-होते सैकड़ों लोग धरती आबा से मिलने के लिए थाने पर जमा हो गए। भीड़ लगातार बढ़ रही थी और लोग बेकाबू भी हो रहे थे। थानेदार ने फौरन उच्च अधिकारियों की इसकी इत्तला दी। डिप्टी कमिश्नर कर्नल गौर्डन थाने पहुँचा।

साली उसके सामने चीखने लगी, 'क्यों हमारे धरती आबा को बन्द कर रखा है। उससे मिलने क्यों नहीं देते?'

थानेदार ने समझाया, 'तुम लोग उससे नहीं मिल सकते। यहाँ से वापस लौट जाओ।'

रामा मुंडा सामने आकर बोला, 'तुम सरकार हो और हाथ पर हाथ धरे बैठे हो। तुम आखिर क्यों नहीं हमें अपने धरती आबा से मिलने देते?'

साली ने डिप्टी कमिश्नर से कहा, 'सूरज डूबने से पहले हमारे सामने हर

हाल में धरती आबा को लाया जाए। हम लोग तब तक यहाँ से नहीं हटेंगे जब तक कि सरकार बिरसा को छोड़ नहीं देती।'

एक नौजवान मुंडा तो थानेदार की बातें सुन-सुनकर बौखला गया। वह गुस्से से चीखता हुआ आया और थानेदार की मूँछ उखाड़ ली।

थानेदार दर्द से चीख उठा। डिप्टी कमिश्नर ने सिपाहियों को इशारा किया। बन्दूकें तन गईं। पुलिस डंडे भाँजने लगी।

लेकिन कोई अपनी जगह से पीछे नहीं हटा। कुल्हाड़ी, लाठी-डंडा, तलवार...जो भी आदिवासियों के हाथ में था, उसे लहराते हुए वे पागलों की तरह नाचने लगे।

मसीहदास मुंडा अपने बाजुओं को फड़काते हुए कहा, 'आज मुझे हमारे धरती आबा को दिखला ही दो। इतने दिनों तक तुमने उनको कहाँ छिपा रखा है?'

पीठ पर बच्चे को बाँधे साली थानेदार से बोली, 'हम लोग धरती आबा को देखे बिना नहीं जाएँगे। तुम लोगों ने जल्दी विचार नहीं किया तो यहीं जान दे दूँगी।'

डोंका मुंडा एकदम से उछलकर सामने आ गया, 'जल्दी से धरती आबा को लाओ, नहीं तो हम सबका गला काट दो।'

डिप्टी कमिश्नर ने उन्हें बिरसा से नहीं मिलने दिया और कोई बलवा न हो जाए सोचकर रात में ही बिरसा को उन लोगों ने खूँटी से राँची भेज दिया। निराश साली और सभी मुंडा लोग इस खबर को सुनकर रोते हुए अपने-अपने गाँव लौट गए।

बिरसा को अंगरेजों ने दो साल की सजा सुनाई।

साली उस औरत को नहीं जानती थी, जो अभी-अभी ही चलकद की उसकी झोंपड़ी के दरवाजे पर आकर खड़ी हुई थी। सफाई कर रही साली ने उसे सवालिया नजरों से देखा। बिरसा की गिरफ्तारी के बाद चलकद सूना हो गया था। लोग कम ही और कभी-कभार आते थे।

'मैं संकरा गाँव...पोड़ाहाट की तरफ से आई हूँ।' उस औरत ने थोड़ा हिचकिचाते हुए कहा।

साली झाड़ू छोड़कर उससे लिपट गई।

'तुम गाँगी हो?' उसने उस औरत से पूछा।

औरत ने हाँ में सिर हिलाया।

साली उसे अन्दर लेकर आई। चटाई पर बिठाया और डुभा में पानी निकालकर उसके सामने रखा। गाँगी गुमसुम बैठी रही। परीबा करीब साल भर का हो गया था। गाँगी ने उसे निहारते हुए कहा, 'ये परीबा है न? तुम्हारा और बिरसा का बेटा....?'

'हाँ।'

'कुछ दिन रहने के लिए आई हूँ...अगर तुमको खराब नहीं लगे।'

'यह तो खुसी की बात है। अकेलापन कम होगा और तुम्हारी मदद भी मिल जाएगी।' बच्चे को गोद में लेकर दूध पिलाने लगी थी साली।

खामोश देखती रही गाँगी।

रात को सोते हुए साली ने गाँगी से पूछा, 'बिरसा के साथ तुम्हारी सादी क्यों नहीं हुई थी?'

गहरी साँस ली गाँगी ने, 'मेरी गलती थी। उस पर विश्वास नहीं किया था। वह तो मेरे प्यार में पागल था।'

'एक गलती पूरे जीवन का नास कर देती है।' साली बोल तो उसे रही थी, पर यह बात उस पर भी लागू होती थी।

'अब उस बात को याद करके बहुत बुरा लगता है। तब नहीं समझ पाई थी उसको।' पुरानी बातें याद करके गाँगी की आँखें डबडबा आई थीं।

'ठीक कहती हो बहन। बिरसा को अभी भी बहुत लोग नहीं समझ सके हैं।'

'हमारे जैसा ही पछताएँगे।'

दोनों गहरी उदासी में थीं। उन दोनों की उदासी से रात का सन्नाटा और गहरा हो गया था।

साली ने प्रसंग बदलने के खयाल से कहा, 'तुम तो बिरसा का बाँसुरी सुनी होगी?'

गाँगी ने सिर हिलाकर हाँ में जवाब दिया, 'उसका बाँसुरी सुनकर बहुत लोग मोहित हो जाते थे। गोरबेरा गाँव में तो एक बार उसका बाँसुरी सुनकर दो लड़कियाँ उसके पीछे पड़ गई थीं।'

'हमको बहुत इच्छा होता है उसका बाँसुरी सुनने का, लेकिन अब कहाँ। अब तो उ धरती आबा हो गया है।'

'उसका बाँसुरी को याद करके मेरा कलेजा फटता है।' कहकर रो पड़ी गाँगी। 'हम बाँसुरी सँभालकर नहीं रख सके। हमेसा-हमेसा के लिए खो दिए... जो सिरिफ मेरा बाँसुरी था।'

कातिक (नवम्बर 1897) का महीना खत्म होने वाला था। जंगल हरा-भरा हो गया था और हड्डियों में घुसकर जम जाने वाली सर्दी से बचने के लिए लोग दिन में भी अलाव जलाने लगे थे। दिन छोटे हो गए थे और सूरज की किरणें भी इन दिनों ठंड से कँपकँपाती मालूम होतीं।

अंगरेज लोग का हिसाब से आज कातिक महीना का आखिरी दिन था। लोग सुबह से ही चलकद में जुटने लगे थे। चारों तरफ हल्ला था कि बिरसा आज जेल से छूटकर आने वाला है। डोंका और सोमा मुंडा कई लोगों के साथ खूँटी चले गए थे सुबह-सुबह ही। बिरसा को लाने।

साली की खुशियों का पार न था। वह तो 'हुदहुद' पंछी जैसी चहकती फिर रही थी। माँ को खुश-खुश और खूब सारे लोगों को गाना-बजाना करते व नाचते देख ढाई साल का परीबा भी, जो अब चलने लगा था, रह-रहकर नाच उठता।

सभी उल्लसित थे। बस गाँगी सहमी हुई थी। प्रत्यक्ष में तो वह भी हँस-गा रही थी, लेकिन भीतर ही भीतर वह घबरा रही थी। वह दुविधा में फँसी थी कि यहाँ उसको देखकर बिरसा क्या सोचेगा? वह कैसे उसका सामना करेगी?

शाम होने में जब आधा पहर बचा होगा, बिरसा चलकद लौटा। खुद थानेदार उसको लेकर आया था।

साली ने उसको देखा और जोर से रो पड़ी।

जेल में रहने के कारण बिरसा का शरीर सूख गया था।

बिरसा के लौटने के दूसरे ही दिन बिरसा से बिना मिले गाँगी अपने गाँव संकरा लौट गई थी।

एक सप्ताह बाद जब बिरसा धूप में बैठा था और साली उसकी पीठ की मालिश कर रही थी, कमिश्नर कुछ सिपाहियों और थानेदार के साथ आया। उनको देखते ही साली डर गई।

बिरसा बोला, 'डरो मत।'

कमिश्नर ने कुछ इधर-उधर की बातें की, फिर कहने लगा, 'सरकार ने छोड़ दिया है। पर तुम पर हमारी नजर रहेगी। अच्छा होगा कि तुम और कोई बखेड़ा मत खड़ा करना।'

बिरसा पहले की ही तरह इत्मीनान से बोला, 'सरकार बेकार में मुझसे डरती है। मैं तो सिर्फ लोगों से नेक राह पर चलने की बात करता हूँ। नेम-धरम की बात से पता नहीं आप लोग क्यों डरते हैं?'

'मैं तो बस समझा सकता हूँ। तुमको जेल में डालकर हमने लोगों को बता दिया है कि तुममें न तो कोई चमत्कारी शक्ति है, न तुम कोई भगवान हो। ब्रिटिश ताकत के सामने तुम्हारी कोई औकात नहीं है।'

साली ने निडरता से कमिश्नर की बात को हँसी में उड़ाते हुए कहा, 'देखा है सरकार का ताकत। रातों-रात डरकर ले भागे थे धरती आबा को।'

कमिश्नर खिसियाकर रह गया।

जाते-जाते बोल गया, 'उम्मीद करूँगा कि फिर नहीं आना पड़े।'

कुछ ही दिन बाद बोरतोडीह में डोंका मुंडा के घर में एक बड़ी बैठक का आयोजन हुआ। यह विचार करने के लिए कि आगे क्या रणनीति होगी। सभी मुंडा सरदार और उसके अनुयायी बिरसा से जानना चाहते थे कि उनको आगे क्या करना है।

बैठक में बिरसा ने कहा, 'सबसे पहले तो हम लोगों को अपने पुरखों का इतिहास जानना चाहिए। इसलिए चाहूँगा कि हम लोग चुटिया चलें। फिर डोंइसागढ़, बड़कागढ़ और पुरी भी जाना चाहिए। जो लोग यहाँ रहेंगे उनको मैं दो दल में बँट कर काम करने को बोलूँगा। एक दल, जिसका अगुआ मेरे विचार से जलमई का सोमा मुंडा होगा, और दूसरे दल की अगुवाई डोंका मुंडा करेगा। सोमा और उसके दल का काम होगा नया धरम का प्रचार करना। डोंका और उसके साथी लड़ाई के लिए दल बनाने का काम करेंगे। अंगरेज राज को खतम करके आबुआ राज लाने का समय आ गया है। सप्ताह में हर बीफे और एतवार दिन को बैठकर भजन गाना और विचार करना अब से नियम समझो।'

सबने बिरसा की बात का समर्थन किया।

इस बैठकी के बाद किसी एक दिन को शाम के समय में, जब बिरसा शौच

से लौट रहा था, सुंगी मुंडा की बेटी बिन्दी ने उसका रास्ता रोक लिया। बिरसा ने देखा वह बुरी तरह से घबराई हुई थी और उससे कुछ कहना चाह रही थी।

'बोलो, डरो मत।' बिरसा ने उसे हिम्मत दी।

लेकिन बिन्दी चाहकर भी कुछ नहीं बोल सकी। तब बिरसा जाने लगा। बिन्दी फिर उसके सामने खड़ी हो गई।

अटक-अटक कर बिन्दी बोली, 'मेरा से सादी बना लो। मैं तुमको बहुत पसन्द करती हूँ।'

बिरसा कुछ कहता इससे पहले ही बिन्दी दौड़कर उसकी आँखों की परिधि से गायब हो गई। बिरसा मन ही मन हँसते हुए आगे बढ़ गया।

रात में जब बिरसा ने यह बात साली को बताई तो वह भीतर ही भीतर चिहुँक उठी। कहीं बिन्दी ने सचमुच...! साली बिरसा से इस तरह से लिपट गई मानो कोई उसे उससे छीनकर ले जाने वाला है।

पुरखा स्थानों की यात्राएँ करते, गाँव-गाँव लोगों के बीच नए धर्म का प्रचार करते और लड़ाई की तैयारियाँ करते हुए दो साल बीत गए।

इस बीच बिरसा के निर्देश पर डोंका मुंडा ने डोम्बारी को नए ठिकाने के रूप में तैयार कर दिया था। डोम्बारी गाँव सईल रकब, केरा ओरा, बीचा बुरु, तीरीलकुटी की पहाड़ी श्रृंखलाओं के बीच बसा था और हर दृष्टि से चलकद की तुलना में ज्यादा सुरक्षित था।

डोम्बारी पहाड़ी की तलहटी में स्थित जगारी मुंडा के घर में बड़ी बैठक हुई। इसमें बिरसा के चुने हुए विश्वस्त गुरुओं, प्रचारकों और लड़ाकों ने भाग लिया। बिन्दी भी इस बैठक में अपने बाबा के साथ आई थी।

बिरसा ने सबको सम्बोधित करते हुए कहा, 'तुम लोग जो ठीक समझो करो। मैं कुछ भी थोपूँगा नहीं। अपनी ताकत को बढ़िया से समझ लो। फिर कूदो लड़ाई में। उलगुलान तो होगा ही। होकर ही रहेगा। बस इतना ही कहूँगा कि अभी तीर और कुल्हाड़ी निकालने का समय नहीं आया है। समय जब आएगा किसी को समझाने की जरूरत नहीं होगी। समय से पहले उलगुलान करोगे, जोर-जबरदस्ती करोगे, तो जेल जाना पड़ेगा, तुम सबका परिवार भूखों मर जाएगा।'

इसके बाद सिम्बुआ में बैठकी हुई। फिर बसिया, कोलेबिरा, बानो, लोहरदाग,

तोरपा, कर्रा, बुंडू, तमाड़ और अनेक जगहों पर। साली इस दौरान साये की तरह बिरसा के साथ लगी रही।

लेकिन सुंगी मुंडा की बेटी बिन्दी को वह साथ रहने से मना नहीं कर सकी। कई लोगों के साथ ही वह भी दल में रहती थी, इसलिए साली उसको कैसे मना कर पाती। बस उसे देख-देखकर रह जाती।

साली पूरी कोशिश करती कि बिन्दी को बिरसा के साथ रहने का अवसर नहीं मिल पाए। पर वह तो उसके प्रेम में पड़ी थी। अक्सर मौका निकाल ही लेती।

अभी भी एक ऐसा ही मौका था और इसे बिन्दी ने बहुत सफाई के साथ अपने लिए पकड़ लिया था। बिरसा को उसने अकेले डोम्बारी पहाड़ पर जाते हुए देखा तो वह भी उसके पीछे छिप-छिपा कर चली आई थी। बिरसा पहाड़ी की चोटी पर बैठा चुपचाप सब ओर देख रहा था। बिन्दी आहिस्ते से उसकी बगल में जाकर बैठ गई। बिरसा ने चौंककर उसको देखा और पूर्ववत् अपने खयालों में डूब गया।

'मैं तुमको पसन्द नहीं हूँ?' अब वह बिरसा के सामने हो गई थी। 'बोलो? क्या मैं तुम्हारे विश्वास और प्रेम के काबिल नहीं?'

बिरसा बिना किसी भाव के बोला, 'नहीं, ऐसी कोई बात नहीं है।'

'तो फिर मुझको अपना घर-चटाई में क्यों नहीं जगह देते हो?'

'वहाँ पहले से साली है।'

'मैं उससे चटाई बाँट लूँगी।'

'तुम बाँट लोगी, साली इसके लिए तैयार होगी क्या?'

बिन्दी के दिल में खुशी की तरंग दौड़ने लगी। 'साली तैयार होगी क्या' कहने का मतलब ही है कि बिरसा उसको पसन्द करता है। यह सोचते ही बिन्दी अपने आपे में नहीं रही और उसने बिरसा को भर अँकवार जकड़ लिया। बिरसा का गर्म खून कैसे नहीं उबलने लगता। वह बिन्दी की इच्छा और उसके प्रेम का सम्मान करते हुए उसे लिये-लिये वहीं जमीन पर लेट गया। हवाओं में ठंडक थी और सर्दी से पूरा वातावरण सिमटा-सिकुड़ा हुआ था। बस डोम्बारी पहाड़ की उस चौरस चट्टान पर, जो उस समय चटाई बन गई थी, दोनों पसीने से तर-बतर हो रहे थे।

बिरसा और बिन्दी पहाड़ी से तभी नीचे उतरे जब उन्हें भान हुआ कि लोग

उनको खोज रहे हैं। वह जब घर के दरवाजे पर पहुँचा तो उसके पीछे खड़ी बिन्दी को देखकर साली कुछ नहीं बोली। बिरसा बिन्दी को लिये घर के भीतर आ गया। बिरसा के साथ आमी और औरतों का रहना सामान्य था इसलिए किसी ने कुछ नहीं ध्यान दिया। परन्तु बिन्दी की मसली पर खिली हुई देह को औरत होने के नाते साली को समझते देर नहीं लगी। उसके दिल में जोर की एक हूक उठी और वह गुस्सा कर बाहर निकल गई।

बिन्दी ने महसूस किया बिरसा उसके इस व्यवहार से चिन्तित हो गया है। उसने आँखों ही आँखों में बिरसा को आश्वस्त किया, परेशान नहीं हो, वह सब सँभाल लेगी।

पहले दिन तो बिरसा ने किसी से इस सम्बन्ध में न कुछ बताया और न ही किसी ने उसके यहाँ बिन्दी के रात बिताने पर ध्यान दिया। लेकिन जब बिन्दी दूसरी और तीसरी रात भी वहीं सोयी, साली उखड़ी-उखड़ी दिखी, लोग समझ गए बिरसा ने बिन्दी को घर भितरा लिया है।

नदी से लौटते हुए बिन्दी दूसरे ही दिन साली के आगे झुक गई थी। 'मुझको माफी कर दो। मैं दिल से मजबूर थी।'

साली कुछ नहीं बोली। धीरे-धीरे बढ़ती रही।

'लाओ, कपड़ा हमको दे दो' कहकर हाथ बढ़ाया बिन्दी ने।

सर पर भीगे कपड़ों से भरी तगारी को और मजबूती से पकड़ लिया साली ने। बिन्दी ने अपना हाथ खींच लिया। बहुत गुस्से में थी साली। दो दिन से उससे बात तक नहीं कर रही है। पाँच साल के परीबा को ऐसे चिपटाए रहती मानो उसे भी बिन्दी छीन लेगी। अभी थोड़ी देर पहले, नदी पर जब उसने बिरसा और उसके कपड़े धोने के लिए माँगे थे, तो साली ने कपड़ों को हाथ भी नहीं लगाने दिया था।

'तुम ऐसा गुस्सा करते रहोगी तो...? छोटी बहन जानकर ही अपना लो।' चलते-चलते बिन्दी फिर गिड़गिड़ाई।

साली ने कपड़े जमीन पर पटक दिए और खुद भी वहीं पसरकर रोने लगी। बिन्दी जड़वत् हो गई। काठ मार गया हो जैसे।

सप्ताह भर भी नहीं बीता होगा, साली का गुस्सा शान्त हो गया। उसने नई स्थिति को दिल से मान लिया। जिसमें बिरसा की खुशी उसी में उसका सुख। साली ने एक बहुत चौड़ी चटाई बुनी, जिस पर मजे से तीन लोग सो सकते थे।

दस दिन बाद बिन्दी के बाबा सुंगी मुंडा ने खुश होकर डोम्बारी में सबको 'पतरी भात' खिलाया। पूरे मुंडा इलाके से लोग इस खुशी में शामिल हुए। नाच-गाने से डोम्बारी में कई दिनों तक उत्सव का माहौल बना रहा।

इसके महीने भर बाद ही उलगुलान शुरू हो गया।

पूस के पहले पखवाड़े में डोम्बारी पहाड़ी पर जोरदार लड़ाई हुई।

कई लोग मारे गए। कई पकड़े गए।

बिरसा अंगरेजी फौज के हाथ नहीं लगा।

बिरसा को पकड़ने के लिए अंगरेज सरकार ने महीने भर समूचे मुंडा इलाके में छापामारियाँ की, लोगों की गिरफ्तारियाँ की, गाँव के गाँव उजाड़ डाले, उलगुलान के अगुआ लोगों के घरों की कुर्की-जब्ती की और इनाम का लालच देकर लोगों को भेदिया व दलाल बनाया।

पोराहाट के जंगलों में कई दिनों तक भूमिगत रहने के बाद बिरसा अपने चुने हुए लड़ाकों के साथ रोगोतो में थे। यहाँ बिरसा ने बैठक बुलाई थी। साली कुल्हाड़ी पकड़े उसके बगल में बैठी थी, तो बिन्दी तीर-धनुष लिये खड़ी थी। दूसरे लड़ाके भी हथियारों के साथ पूरी तरह से चौकस थे।

बिरसा उठा और बोलना शुरू किया, 'उलगुलान नहीं रुका है। अंगरेज सरकार, जिमीदार, ठिकादार, महाजन, दिकु लोग का झूठा बात में मत आना। हाट-बाजार के लोग से सावधान रहना। लड़ाई चालू है। मुझे कोई नहीं मार सकता है। मुझको छूते ही गोली पानी हो जाएगा। और अगर मैं बन्दी भी बना लिया जाता हूँ तो उलगुलान नहीं रुकेगा। यह अकेले मेरा लड़ाई नहीं है। सब पुरखा लोग का लड़ाई है। आबुआ राज लाना है...यही पुरखों ने कहा है। मैं इसी को दोहराऊँगा...बार-बार...उलगुलान उलगुलान...!'

भीड़ ने हथियार लहराते हुए बिरसा के साथ-साथ दोहराया—

'उलगुलान...उलगुलान...'

बिरसा ने आगे कहा, 'अपने पैरों से मैं धूल उड़ाता रहूँगा...तुम लोगों को निराश होने की जरूरत नहीं है...मुझे कोई लोहा में बाँधकर नहीं रख सकता... बेड़ियाँ अपने आप गल जाएँगी...मैंने जो नया धरम दिया है, उस पर मजबूती से डटे रहना। यह नया धरम ही तुम सबको बचाएगा। गाँव-गाँव, टोला-टोला,

कोना-कोना सब तरफ फैल जाओ, पसर जाओ पुटुस का झाड़ी जैसा...दिसुम की धरती पर धूल उड़ाता हुआ मैं हमेसा-हमेसा तुम सबके बीच मौजूद रहूँगा।'

नए जोश के साथ सुबह-सुबह लोग अपने-अपने इलाके लौट गए।

बिरसा ने नया पड़ाव सेन्तरा के पश्चिमी जंगल में डाला। उसके इस नए भूमिगत ठिकाने के बारे में चार-पाँच विश्वासी लड़ाकों के अलावा कोई नहीं जानता था। न ही उसके साथ साली और बिन्दी के अतिरिक्त कोई दूसरा था। साली ने परीबा को डोम्बारी में लड़ाई शुरू होने के पहले ही उसे चलकद भेज दिया था। आजा-आजी सुगना और करमी के पास।

मागे परब के दिन थे।

माघ का तीसरा दिन और वार था सनीचर।

साली पुआल से बने कुम्बा के भीतर खाना बना रही थी।

बिन्दी कुल्हाड़ी लिये पहरे पर थी।

अगल-बगल दो तलवारें रखे और एक चादर ओढ़े बिरसा चुपचाप सलगी को देख रहा था।

'जाने क्यों आज तुमको बहुत प्यार करने को मन कर रहा है। कई दिनों से और आज यहाँ तो कल वहाँ...होस ही नहीं रहा।' कहते हुए बिरसा ने उसे पीछे से अपनी बाँहों में भर लिया।

'पगला...छोड़ो, साग जल जाएगा।' साली कसमसाई।

'जलने दो' कहकर बिरसा ने उसे अपनी ओर खींचा और बेतहाशा उसे चूमने लगा। साली ने खुद को उसको हवाले कर दिया था।

रात को खाना खाने के बाद जब साली बाहर पहरे पर थी बिरसा ने बिन्दी को भी जी भरकर प्यार किया।

रात के तीसरे पहर में साली को जब नींद आने लगी तो वह कुम्बा के अन्दर आ गई। बिन्दी और बिरसा को आनन्द से सोते देख उसके चेहरे पर मुस्कान उभरी। बहुत दिनों बाद बिरसा इतने इत्मीनान से सो रहा था। बिना कोई आहट किए वह भी बिरसा की एक ओर लेट गई। पलकों को बन्द करते हुए उसने उसकी छाती पर धीरे से अपना सिर रख दिया। कुछ ही पलों में वह भी नींद में बेसुध थी।

सेन्तरा के घने जंगल के बीच शाल के बड़े-बड़े वृक्षों के साये में उस छोटे से कुम्बा में तीन प्रेमी, जो एक ही जान थे, आपस में लिपटे सोए थे।

कुछ ही देर बाद, जब तीनों की गहरी साँसें एक ही लय पर उठ और गिर रही थीं, बाहर अँधेरे में सात साये दबे-पाँव कुम्बा की ओर बढ़ रहे थे। उनके हाथों में बन्दूक और तलवारें थीं।

वे सब दोपहर से ही घात लगाए हुए थे।

मँगरी मेम साब

ललमाटी चाय बागान में पन्द्रह नम्बर कुली लाइन की पानी टंकी की पास वाली कतार में दो घर छोड़कर तीसरा घर सुखराम उराँव का है। इस कुली लाइन में संताल, मुंडा, खड़िया और कुछ राजवंशी नेपाली लोग रहते हैं। इनमें ज्यादातर घर विवाहितों के हैं पर कोई दर्जन भर मजदूर अविवाहित या अकेले हैं। कुली लाइन के घर टीन की छत वाले हैं और दीवार मिट्टी की। एक कमरा, एक छोटी-सी रसोई और एक शौचालय। घर के आगे थोड़ी-सी जमीन। पानी के लिए हर कुली लाइन में एक कुआँ।

सुखराम उराँव की दो बेटियाँ और एक बेटा है। बड़ी बेटी का नाम मँगरी, छोटी का बिरसी और बेटे का नाम बुदु है। बच्चों में बेटा सबसे छोटा है। पत्नी जिरगी पतली-दुबली काया वाली है लेकिन बेटियों का शरीर भरा हुआ है। बिरसी और बुदु दोनों रंग और रूप में भी अपने पिता की तरह हैं। मँगरी की रंगत इन दोनों से अलग तो है ही, कुछ अनोखी भी।

मँगरी अपनी माँ की तरह ही खूबसूरत और साफ रंगत वाली है। ऐसी रँगत जिसे न तो काला कहा जा सकता है, न गोरा और न ही साँवला। सुनहला कह सकते हैं, लेकिन उस तरह का सुनहला नहीं है जैसा कि हम जानते हैं। वह कुदरत का एक अलग ही रंग मालूम होता है। उसकी उम्र 16-18 से ज्यादा नहीं होगी।

सुखराम जब ललमाटी चाय बागान में आया था, तो मँगरी गोद में थी। यही कोई चार-पाँच साल की। एक अरकाटी उसे सिसई के बाजार में मिला था। उसने कहा चाय बागान चलो, वहाँ काम के बदले नगद पैसा, रहने को बढ़िया घर, कपड़ा-लत्ता, खाना-पीना सब मिलेगा। सुखराम उन दिनों सुंड़ी-

साव के कर्ज से परेशान था। बैल खोल ले गया था सुंड़ी-साव। खेत पहले ही उसके कब्जे में था। अरकाटी का प्रस्ताव उसे अच्छा लगा। वह उसे जाने का और रास्ते का खाना-खर्च भी दे रहा था। सुखराम ने पत्नी से राय की और कर्ज से मुक्ति की आशा में चले आए थे दारांग के इस चाय बागान में। परन्तु यहाँ आने पर ही मालूम हुआ कि उसके जैसे लोगों की मुक्ति कहीं नहीं है। न अपने पुरखा झारखंड देस में और न ही इस चाय बागान में। पूरा परिवार सुबह से शाम खटता था तब जाकर कहीं भरपेट भोजन जुट पाता था। स्थिति ऐसी थी कि वह लौटने की भी नहीं सोच सकता था।

माड़-भात खाकर एक ओर थाली रखी सुखराम ने और बेटी मँगरी से कहा, 'आज मनीजर साब का बँगले पर चला जाना। मेट बोला है कि नया मनीजर साब दो-चार दिन में आने वाला है, बँगला की साफ-सफाई होगा।'

मँगरी ने हाँ में सिर हिलाया और बरतन समेटकर उसे धोने चली गई। लौटी तो माँ, बहन, भाई और बाबा सब लोग बागान में जाने के लिए तैयार थे। मँगरी ने आईने में खुद को देखा, कमर तक झूलते हुए बालों को बाँधकर जूड़ा बनाया और दरवाजा भिड़ाकर बाहर निकल आई।

सुबह के सात बज रहे होंगे। उनकी ही तरह कुली लाइन के दूसरे मजदूर भी बागान जाने के लिए सड़कों पर थे।

मँगरी मैनेजर के बँगले की ओर चल दी।

मैनेजर का बँगला बहुत बड़ा था, जो एक बड़े अहाते के भीतर था। लकड़ी का बना हुआ। उसकी भी छत टीन की थी लेकिन टीन के ऊपर खपड़े और खपड़ों के ऊपर बीच में जगह छोड़कर फूस की छत थी। बँगले में चार बड़े-बड़े कमरे, नहाने का अलग कमरा, शौच के लिए अलग कमरा, एक बड़ा-सा रसोईघर और बँगले के चारों ओर बरामदे जैसा था। सामने के बरामदा के आगे फूलों का छोटा-सा बागीचा और अहाते में कई तरह के फलदार पेड़ थे। बँगले के पीछे एक पतली-सी नदी थी और नदी के ऊपर दूर तक अर्द्धवृत्ताकार चाय का बागान।

पिछले महीने भर से मैनेजर का बँगला बन्द पड़ा था। जॉनसन साहब के जाने के बाद से ही। पचास की उम्र के पेटे का तोंदियल जॉनसन साहब बहुत बदमाश आदमी था। मँगरी को वह बिलकुल अच्छा नहीं लगता था। वह मजदूरों

को बहुत मारता-पीटता था और जब-तब किसी न किसी मजदूर औरत या उसकी लड़की बँगले पर लाकर उसके साथ जबरदस्ती करता। अच्छा हुआ, जो न जाने कैसी बीमारी हुई उसको कि वह मैनेजरी छोड़कर अपने देश चला गया। पता नहीं आने वाला नया मैनेजर कैसा होगा?

यही सब सोचते-सोचते घुमावदार बागान से गुजरते हुए मँगरी बँगले के पास पहुँच गई। देखा, दो नम्बर कुली लाइन की स्टेला, दस नम्बर की सुमति और चौदह नम्बर की रासमुनि भी वहाँ पहुँची हुई थी। स्टेला और रासमुनि उसी की उम्र की मुंडा लड़कियाँ थीं जबकि उराँव सुमति दो बच्चों की माँ थी। करीब 40 की उम्र का मेट हराधन ताँती, जो सूरत से काँइयाँ दिखता था पर दिल का बहुत अच्छा था, बरामदे में आरामकुर्सी पर बैठा बीड़ी फूँक रहा था।

मँगरी को देखते ही बोला, 'इतना देर कर दी, कब से सब कोई तुम्हारा इन्तजार में बैठा है।'

'देर? काका, ठीक से खाना भी नहीं सके हम और मैं भागी-भागी आ रही हूँ।' हँसकर बोली मँगरी।

'सुनो इसका बात।' हराधन बोला, 'ए सुमति, देखो तो लगता है कि ई खाना नहीं खाई है? बन-ठन के एकदम मेम लग रही है।'

सुमति और बाकी दोनों लड़कियाँ चुप रहीं। जानती थीं हराधन लाड़ जता रहा है। मँगरी है ही ऐसी, इस कदर सुन्दर, चपल, शोख और फुर्तीली कि जो देखे वह उसको प्यार करने लगे।

मँगरी पास आकर हराधन के सामने लकड़ी की फ़र्श पर बैठ गई। दुपट्टे से कनपटियों पर रिस रहे पसीने को पोंछा और बोली, 'तुमको लग रही हूँ... काका, हम तो हैं ही मेम।'

'ठीक है, ठीक है...चल काम पर लग जा। कल ही नया मनीजर बाबू आने वाला है।'

सुमति बोली, 'कल ही?'

'हाँ, बिहाने पहुँच जाएगा।' हराधन ताँती ने अब दूसरी बीड़ी सुलगा ली थी।

'अच्छा काका, ई नया मनीजर भी पहले जैसा है कि...' मँगरी ने उत्सुकता से पूछा।

'सब मनीजर एके जैसा होता है। मजदूर का खून चूसने वाला और अउरतखोर।' स्टेला ने घृणा से कहा।

'तुम लोग बहुत बकर-बकर करती हो।' उठकर जाने के लिए खड़ा हो गया हराधन। 'बढ़िया से सफाई करना...मैं थोड़ा बागान का चक्कर मारकर आता हूँ।'

'जाने से पहले ई तो बोलो काका, कि हमको आज की मजूरी क्या दोगे?' मँगरी ने जाते हुए हराधन से कहा।

'मजूरी में देंगे बालू...बालू का मिठाई।' जाते-जाते बिना मुड़े चिल्लाकर कहा हराधन ने।

बालूशाही मिठाई को हराधन 'बालू मिठाई' बोलता था।

मँगरी तीनों के साथ बँगले की साफ-सफाई में जुट गई।

दूसरे दिन सुबह-सुबह नया मैनेजर आ गया था। बागान में काम करते हुए मँगरी ने सुना कि नया मैनेजर एकदम जवान है। दिखने में ठीक है पर यह तो आगे पता चलेगा कि उसका स्वभाव कैसा है और मजदूरों के साथ उसका क्या बरताव रहता है।

रात का खाना बनाने के लिए घरों में चूल्हा जल गया था। पन्द्रह नम्बर की कुली लाइन के हर घर से धुआँ उठ रहा था। बच्चे गलियों में खेलने में मस्त थे, तो मजदूर लोग अपने-अपने घर के बाहर बैठे थे। पाले गए सूअर दड़बों में थे और मुर्गियाँ टोकरियों के भीतर कुड़कुड़ा रही थीं। मँगरी और बिरसी दोनों माँ का हाथ बँटाने में लगी थीं। बुदु पास के नल से लाने तो पानी गया था पर इस वक्त वह टीन की बाल्टी एक ओर रखकर खेलने में लगा हुआ था।

घर के आगे आम का पेड़ था। उसी आम के पेड़ के नीचे सुखराम पाँच-सात लोगों के साथ बैठा था।

खूँटी के किसी गाँव से आया बलदेव बोला, '12 नम्बर में आजकल रोज बैठकी हो रहा है। मैं गया था परसों, बुधवार दिना।'

'सुना तो हमिन भी है।' सुखराम बोला। 'जरमन बाबा का प्रार्थना करता है और टाना बाबा टाना बाबा गीत गाता है कुड़ुख (उराँव) लोग।'

बलदेव धीरे से फुसफुसाया, 'हाँ, उ लोग कहते हैं अब अंगरेज लोग का राज नहीं रहेगा। जरमन लोग का राज आएगा। सब आदिवासी लोग को मिलकर अंगरेज को भगाना है। उ जो लन्दरू भगत है न...'

'कौन भगत?' दुखा ने उसकी बात काटते हुए पूछा।

'ओही...लन्दरू उराँव...अब अपने को भगत कहने लगा है, जब से दिसुम (झारखंड) से लउटा है न उसके बाद से ही।' बलदेव बोला।

सुखराम की उत्सुकता बढ़ी, 'लन्दरू ऐसा बोलता है?'

'हाँ। हम तो खुद सुने हैं।' बलदेव बोलकर सबके चेहरे देखने लगा। सबको चुप देखकर फिर बोला, 'बागान-बागान घूम रहा है लन्दरू, कहते फिर रहा है अंगरेज साहब-हाकिम लोग का अतयाचार नहीं सहना है।'

कुरिया मुंडा बोला, 'एही बात तो ख्रिस्तसन मुंडा भी बोल रहा है।'

सुखराम—'कौन? फुलबारी चा बागान वाला पादरी?'

कुरिया—'हाँ, ओही।'

सुखराम—'लगता है फिर से उलगुलान होगा।'

बलदेव—'होबे करेगा। तुम लोग चलोगे 12 नम्बर? अगला बीफे।'

कुरिया—'बीफे को क्यों? एतवार दिना चलते हैं।'

'लन्दरू भगत कहता है, बीफे का दिन धरमेस आराम करने बोला है। उस दिन कोई काम नहीं।'

'बीफे दिन छुटी तो नहीं मिलेगा।' सुखराम बोला था।

'रात को चलना है...दिन को थोड़े।'

कुरिया—'ठीक है। लेकिन बिहाने बिहान तो लौट आएँगे न? नहीं तो मालिक चमड़ा खींच लेगा।'

बलदेव—'हाँ-हाँ, लौटेंगे राते-रात...'

इसके बाद देर तक बलदेव बताता रहा कि कैसे बागान का इलाका में लोग जरमन बाबा से प्रभावित हैं और 'टन टन टाना, टाना बाबा टाना' का गीत गा रहे हैं। लोगों को अंगरेजों के शोषण के खिलाफ संगठित कर रहे हैं। ख्रिस्तसन मुंडा तो पहले से ही इस काम में लगा हुआ है। वह तो पादरी है इसलिए बाजार-बाजार घूम सकता है, किसी भी चाय बागान में जा सकता है। लन्दरू भगत को ऐसा मौका नहीं है परन्तु वह भी आसपास घूम रहा है। उसका बात को मानकर कई लोग अब दीया जलाकर उसके चारों तरफ बैठते हैं और टाना का गीत गाते हैं।

चैत का महीना है। मँगरी बागान में 'जापी' (बाँस की टोपी) पहने हुए चाय की

पत्तियाँ तोड़ रही थी। माथे और कमर से बँधी हुई बड़ी टोकरी उसकी पीठ पर थी और हाथों की अँगुलियाँ ऐसे चल रही थीं मानो कैंची चल रही हो। दूर-दूर तक यही दृश्य था। पत्तियों की हरी आभा टूटने के बाद भी टोकरियों से बाहर झाँक रही थी। बागान में जहाँ तक नजर जा सकती थी शिरीष के सायेदार पतले-पतले वृक्षों की तरह ही कतारबद्ध मजदूर पत्तियाँ तोड़ने में लगे हुए थे।

यह सुबह के कोई दस बजे के आसपास की बात होगी। मजदूर लोग तो समय सूरज से नापते थे और दिन को गिनते थे। समय से ज्यादा उनके लिए दिन का महत्त्व था। हाजिरी तो दिन के हिसाब से ही मिलती थी।

नया मैनेजर रोजवेलगुड सामने की पेड़ की छाया में बैठा उन सबको देख भी रहा था और कोई छोटी-सी एक किताब खोलकर बीच-बीच में पढ़ता भी रहता।

बगल में पत्तियाँ तोड़ रही लीला से हँसते हुए मँगरी बोली, 'पहले ही दिन नया मनीजर ऐसा करेगा तो कौन इसकी मनीजरी मानेगा?'

लीला ने कहा, 'सुरू में यह सब देखाता है। बाद में जाके पता चलता है इसका असलियत।'

'बेस कहले। कल तो पूरा बागान घूमा...और आज यहाँ कुरसी जमा के बैठा है। सुनते हैं कल कहीं हंटर नहीं चलाया।'

'चलाएगा...नहीं चलाएगा तो मनीजर कइसा।' बोली लीला। उसके स्वर में मैनेजर के लिए घृणा ही घृणा थी।

'एकदम जवाने लगता है।'

'बिहा हुआ होगा तो अच्छा। नहीं तो बहुतों को भुगतना पड़ेगा।'

ठीक ही कह रही है लीला। अविवाहित मैनेजर ज्यादा सताते थे। जो शादीशुदा और परिवार के साथ थे, कम से कम वे कभी-कभार ही आदिवासी लड़कियों पर झपट्टा मारते थे।

'कुसुमी खाना बनाने जा रही है कल से।' नए मैनेजर के बारे में सोचते हुए ही मँगरी ने लीला को जानकारी दी। फिर कहा, 'उसी से पता चलेगा, पहला रात कैसा था नया मनीजर का।'

'आज काम पर नहीं आई है कुसुमी?' लीला ने फुसफुसाकर कहा।

'साइत कुछ और वजह होगी।' लीला का आशय समझकर भी मँगरी न जाने क्यों उसे मानने को तैयार नहीं थी।

महीना भर बीत गया था, लेकिन इक्का-दुक्का घटनाओं को छोड़कर अभी तक नए मैनेजर की छवि साफ-सुथरी बनी हुई थी। न वह बेवजह मजदूरों को डाँटता-फटकारता और न ही बागान में घोड़े पर बैठकर हंटर चलाता फिरता। सही वजह होने पर ही वह कार्रवाई करता।

एक बृहस्पतिवार मँगरी भी अपने बाबा और माँ के साथ लन्दरू भगत का टाना प्रार्थना में शामिल होने गई। उसे देखकर आश्चर्य हुआ कि बहुत लोग उस प्रार्थना में जुटे थे। वहाँ बहुत सारी बातें बताई थी लन्दरू भगत ने। अंगरेजी भूतों को खींचकर देश से भगाओ। भूत बड़ा भारी है। उसको 'टान' कर बाहर करने में सबको ताकत लगाना होगा।

प्रार्थना बैठकी से लौटते हुए मँगरी के होंठों पर टाना प्रार्थना के बोल पूरी तरह से चढ़ गए थे—

टन-टन टाना, टाना बाबा टाना,
भूत-भूतनी के टाना
टाना बाबा टाना,
कोना-कुची भूत-भूतनी के टाना
टाना बाबा टाना,
लुकल-छिपल भूत-भूतनी के टाना

(ओ पिता! ओ माता! देश की जान लेने वाले, आदिवासियों को लूटने-मारने वाले सभी तरह के भूत-भूतनियों को खींचकर देश से बाहर करने में हमारी मदद करो)

दो महीने बाद एक शाम जब मँगरी अपनी माँ, भाई और बहन के साथ घर लौट रही थी मेट हराधन ने उन्हें रोका।

मँगरी की माँ जिरगी से बोला, 'भाभी, कल से तुम मनीजर बाबू का खाना बनाने आ जाना।'

'उसका खाना तो कुसुमी बनाती है न?' मँगरी ने टोका।

'दो दिन से नहीं आ रही है। कोई बेमारी हो गया है उसको।'

हराधन का आदेश और कुसुमी का बीमार हो जाना, इन दोनों बातों को

जानकर जिरगी सहम गई। उसने हराधन को हाथ जोड़ दिए।

'क्यों मुझ बुढ़िया को ऐसा काम का लिए बोल रहे हो मेट? किसी और को देख लेते तो...।' अपनी घबराहट को छुपाते हुए जिरगी ने धीरे से जवाब दिया।

'तुम्हारे घर में दो-दो जवान बेटियाँ हैं भाभी, इसलिए बोल रहा हूँ। कुसुमी से पहले तुम्हारा ही खयाल आया था, लेकिन...कुसुमी का माँ खुद बोली थी इसलिए उसको भेजा।'

मँगरी की माँ ने हाँ कर दी।

दूसरे दिन से वह नया मैनेजर का खाना बनाने जाने लगी।

सात दिन बाद जिरगी को बुखार हो गया। तब मँगरी को माँ की जगह जाना पड़ा। पाँच-सात दिन तक बुखार में पड़े रहने के बाद जब जिरगी स्वस्थ हो गई तब भी मँगरी ही जाती रही और फिर तो यही अब मँगरी का नियमित काम हो गया। नए मैनेजर के यहाँ काम करने को लेकर न तो उसके माँ के और न ही मँगरी के मन में किसी तरह का भय या हिचक था, क्योंकि माँ-बेटी दोनों के अनुसार नया मनीजर 'अच्छा साहब' था।

एक दिन दोपहर के खाने के समय, मैनेजर रोजवेलगुड ने जब मँगरी खाना परस रही थी, उससे कहा, 'एक प्लेट और लगा दो।'

मँगरी ने सोचा शायद खाने पर साब ने किसी और को भी बुलाया है। वह सोच में पड़ गई, क्योंकि खाना तो सिर्फ मनीजर बाबू के लिए ही बनाया था। दूसरी प्लेट में परोसने लायक खाना तो था ही नहीं। वह असमंजस में चुपचाप खड़ी रही।

मैनेजर ने मँगरी की हिचकिचाहट को ताड़ लिया। बोला, 'जितना है उसी में बाँट लेंगे, तुम प्लेट ले आओ।'

मँगरी ने प्लेट लाकर डाइनिंग टेबल पर रख दिया।

'खाना बाँटो।'

दोनों प्लेट में जो कुछ भी था मँगरी ने खाना परस दिया।

मैनेजर ने मँगरी को कुछ पल देखा और फिर बोला, 'बैठ जाओ।'

चुपचाप एक ओर खड़ी मँगरी टेबल के एक ओर सिकुड़कर बैठ गई। आम तौर पर मैनेजर के खाते समय वह खड़ी ही रहती थी।

रोजवेलगुड उसे बैठते देख हँसा, 'वहाँ नहीं, यहाँ आकर बैठो।' उसने उस कुर्सी पर बैठने का इशारा किया, जिसके सामने दूसरी प्लेट थी।

उसने न में सिर हिलाया।

मैनेजर ने फिर खाने पर बैठने के लिए कहा। मँगरी तब भी नहीं बैठी। उठकर वहाँ से जाने लगी।

मैनेजर थोड़ा व्यंग्यात्मक लहजे में बोला, 'ठीक ही बोला था कलकत्ता में लोगों ने...चाय बागान के मजदूर हंटर की ही भाषा समझते हैं। लगता है हंटर उतारना पड़ेगा...'

मँगरी हंटर की डर से एकदम सिकुड़ी-सिमटी कुर्सी पर आकर फौरन बैठ गई।

'गुड' मुस्कुराया मैनेजर। 'चलो खाना शुरू करो।' और मैनेजर ने खाना शुरू कर दिया।

मँगरी बुत बनी बैठी रही।

जब चार-पाँच कौर खा लेने के बाद भी मँगरी ने खाने को हाथ नहीं लगाया तो मैनेजर ने दीवार पर टँगे हंटर की ओर देखा, मँगरी को घूरा और उठने लगा, मानो वह हंटर लाने जा रहा हो।

मँगरी बिलकुल रोई-रोई से बोली, 'खाती हूँ, खाती हूँ।'

मैनेजर वापस बैठ गया। काँटे से एक पोठिया मछली उठाई और मुँह में डाल लिया।

'मुझे इससे खाना नहीं आता।'

काँटे-चम्मच की ओर इशारा करती बोली मँगरी। प्लेट हाथ में लेकर उठ खड़ी हुई, 'घर ले जाकर खा लूँगी।'

मैनेजर ने घूरते हुए ही उसे वापस बैठने का इशारा किया।

मँगरी वापस धीरे से बैठ गई। प्लेट को टेबल पर रख दिया।

'जैसे भी खाओ, यहीं खाना है।' बोलकर जोर से घुड़का मैनेजर ने, 'चलो शुरू करो।'

भय से घबराकर मँगरी ने मुट्ठी भर भात लिया और मुँह में डाल लिया। भात भर जाने से उसका मुँह बन्दर जैसा हो गया।

मैनेजर जोर से हँस पड़ा।

'बढ़िया से खाओ, खाना मजदूरी करना नहीं होता है।'

कहा मैनेजर ने और अपना खाना खत्म करके बाहर चला गया।

मँगरी के मुँह में अभी तक वही भात भरा हुआ था जिसे वह धीरे- धीरे चुभलाए जा रही थी।

उसके जाते ही मँगरी की जान में जान आई। यह तो अच्छा हुआ कि बरतन धोने, साफ-सफाई और घर के दूसरे काम करने वाली रेबेका उस समय वहाँ नहीं थी। वरना यह बात तो शाम होते-होते बागान में हर जगह पहुँच जाती। तब भला वह क्या जवाब देती लोगों को कि मनीजर बाबू ने उसे साथ बिठाकर क्यों जबरदस्ती खिलाया। उसने सन्तोष की साँस ली और फटाफट खाना चट कर दिया। उसे पहली बार लगा कि वह कितना स्वाद वाला खाना बनाती है।

खाना खाकर रोजवेलगुड अपने ऑफिस में बैठा था। कुर्सी पर आँखें बन्द किए। किसी गहरी सोच में डूबा हुआ। काफी देर बाद वह अपनी इस मुद्रा से बाहर आया और कागज-कलम लेकर लिखना शुरू किया।

'डियर मम्मी,

आई होप...आप पापा और सभी लोग मजे से होंगे। मैं पिछले दो महीने से—असम के दारांग घाटी चाय बागान में आ गया हूँ। कलकत्ता की फर्म मैंने छोड़ दी है। यहाँ की आबोहवा बहुत बढ़िया है और दो महीने में ही मेरा स्वास्थ्य बहुत बेहतर हो गया है।

यह पत्र इसलिए लिख रहा हूँ डियर ममा कि आपकी इच्छा को मानकर मैंने शादी करने का फैसला कर लिया है। न-न, कोई रिश्ता उधर मत देखना। एक बहुत सुन्दर लड़की मुझे यहाँ बागान में ही मिल गई है। उम्र में मुझसे आधी जरूर है, पर बहुत सुघड़ है। सच कहता हूँ तुम उसे देखोगी तो देखती रह जाओगी।

तुम्हारी सबसे बड़ी जिज्ञासा यही होगी कि अब तक शादी से इनकार करने वाला तुम्हारा यह बेटा कैसे अचानक शादी के लिए राजी ही नहीं हो गया बल्कि लड़की भी चुन ली है। सॉरी ममा, सारी बातें लेटर में नहीं लिख सकता इसलिए बस इतना जान लो कि आज तक मैंने उसकी जैसी कोई लड़की नहीं देखी। ईश्वर ने उसे शायद मेरे लिए ही बनाया है।

ममा, मैं नहीं जानता वह कैसे मेरे दिल में उतर गई। बस इतना पता है कि यहाँ बागान में आने के दूसरे ही दिन उसे मैंने पहली बार देखा और उसके रूप का दीवाना हो गया। मुझे नहीं मालूम कि वह मेरे विवाह प्रस्ताव को स्वीकार करेगी या नहीं, पर अभी इतना ही कह सकता हूँ कि मैं उसके बिना अपनी आगे की जिन्दगी नहीं देखता। अपनी प्रेयर में मेरे लिए दुआ करना ममा कि वह तुम्हारी बहू बन सके।

पत्र का अन्त करता हूँ। चाहूँगा कि विवाह के अवसर पर तुम सब यहाँ हो। तुम सबको मेरा प्यार।

तुम्हारा बेटा
रोजवेलगुड

शाम को जब घर पहुँचा मैनेजर तो रेबेका ने बताया, 'मँगरी अब खाना बनाने नहीं आएगी।'

मैनेजर कुछ नहीं बोला। बस मुस्कुराकर रह गया।

बागान में धूप खिली हुई थी। लोग काम पर लगे हुए थे। मैनेजर ने घोड़े पर बैठकर पूरा बागान छान मारा, मँगरी कहीं नहीं दिखी। वह मेट हराधन ताँती के पास आकर रुक गया।

'मँगरी कल शाम से खाना बनाने नहीं आई?...और वो यहाँ बागान में भी काम पर नहीं है।' मैनेजर ने हराधन से पूछा।

हराधन माथा खुजलाने लगा। क्या जवाब देता। उसे तो यह बात मालूम ही नहीं थी। बोला, 'पता करके बताऊँगा साब।'

'बताऊँगा नहीं, अभी मालूम करो। मैं ऑफिस में मिलूँगा।' कहकर मैनेजर ने घोड़े को ऐड़ लगाई और हराधन की नजरों से ओझल हो गया।

कोई एक घंटे बाद हराधन मैनेजर के सामने ऑफिस में खड़ा था।

'बोलती है वह खाना बनाने का काम नहीं करेगी।'

'क्यों?' मैनेजर ने हराधन से सवाल किया।

'खाना नहीं बनाएगी...ठीक है। लेकिन बागान में काम करने क्यों नहीं आई?'

'ये तो नहीं पूछा साब।'

'तो जाओ, जाकर पूछ के आओ। अभी...'

हराधन जाने लगा तो मैनेजर ने रोका, 'सुनो, पूछकर मत आना, उसे साथ लेकर आना। उसी से मुझको जवाब सुनना है।'

'जी साब।' कहकर तेजी से दौड़ा पन्द्रह नम्बर की कुली लाइन की तरफ हराधन।

थोड़ी देर बाद हराधन फिर अकेले ही सर झुकाए मैनेजर के सामने खड़ा था। डरते-डरते बोला, 'वो नहीं आई साब। बहुत बोला, चलकर खुद बोल दो, पर वो तो मानती ही नहीं।'

हराधन को लगा जवाब सुनते ही मैनेजर हंटर लेकर दौड़ पड़ेगा पन्द्रह नम्बर। पर वो तो बिलकुल शान्त खड़ा था। मन्द-मन्द मुस्कुरा रहा था। उसका दिमाग घनचक्कर हो गया। मैनेजर की बात नहीं मानने वाले मजदूरों का हश्र क्या होता है इसे हराधन अच्छी तरह से जानता था। बागान की चाय से लेकर मजदूर और यहाँ तक कि पशु-पंछी भी मैनेजर के गुलाम थे। उसकी सम्पत्ति। यह तो पता नहीं किस तरह का मैनेजर है।

फिर भी थोड़ा घबराते हुए बोला, 'बच्ची है साब। मैं उसको मना लूँगा। कल से वो जरूर काम पर आएगी।'

'कल से...?' जोर से चीखा मैनेजर। 'मेरे को अभी इधर मँगरी चाहिए।'

'ठीक है साब। मैं फिर से उसके पास जाता हूँ।' बोलकर जाने के लिए फुर्ती से पलटा हराधन।

मैनेजर ने टोका, 'रुको, मैं भी चलूँगा।'

आगे-आगे दौड़ता हुआ हराधन ताँती और उसके पीछे घोड़े पर बैठा मैनेजर। पन्द्रह नम्बर कुली लाइन की पानी टंकी के पास के सुखराम के घर पर जाकर रुक गया हराधन।

'यही घर है साब। मँगरी अन्दर ही होगी...'

'ठीक है,' घोड़े से उतरते हुए मैनेजर ने कहा, 'तुम बाहर ही रुको, मैं उसको मिलता हूँ।'

मेट हराधन ने हाँ में सिर हिलाया और घोड़े की रास पकड़कर एक ओर खड़ा हो गया।

मँगरी अपने सामने रोजवेलगुड को देखकर बिलकुल नहीं चौंकी।

'मुझको भूखा मारना है, जो नहीं आईं? तुमको पता है, कल से कुछ नहीं

खाया। भूखा हूँ। कुछ खाने को है तो दो।' कहते-कहते वहीं उसके सामने फर्श पर मैनेजर बैठ गया।

मँगरी के दिल में हूक-सी उठी। उसने पहली बार नजरें उठाकर मैनेजर को देखा। उसका चेहरा बिलकुल उसके दिल की तरह था। एकदम निर्दोष। वह रत्ती भर भी झूठ नहीं बोल रहा था।

मँगरी को कुछ नहीं सूझा वह क्या बोले। जब उसकी आँखों की ताब वह नहीं सह सकी तो रसोई में चली गई। डेगची का ढक्कन उठाकर देखा तो उसमें एक मुट्ठी जैसा चावल पड़ा था।

वह बाहर के कमरे में आई, कुछ क्षण खड़ी रही, फिर बोली, 'थोड़ी देर बाद खाने आ जाना' कहकर हिरणी की तरह मैनेजर के बँगले की ओर कुलाँचे भरने लगी।

उसको इस तरह से घर से भागता देख हराधन हड़बड़ाकर उठ गया। सोचने लगा, कहीं मनीजर बाबू ने उसके साथ कुछ ऐसा-वैसा तो...?

इतने में मैनेजर बाहर आया। वह पहले की तरह ही सौम्य था। उसने घोड़े की रास ली और उछलकर बैठ गया।

'काम हो गया...मँगरी खाना बनाने गई। तुम जाकर मजदूरों को देखो।' हैरत में डूबे हराधन को वहीं छोड़कर मैनेजर भी चलता बना।

मैनेजर खाना खा रहा था। बीच-बीच में वह मँगरी को भी देख लेता। मँगरी अपराधी भाव से अपने आपमें छुपती हुई खड़ी थी।

खाना खत्म करके मैनेजर ने वहीं बैठे-बैठे उससे कहा, 'क्यों नहीं आ रही थीं...?'

'आप उस दिन जबरदस्ती हमको खाना...' बिना अपनी बात पूरा किए चुप हो गई मँगरी।

'खाना खिलाना इतना बुरा है कि उसे भूखा मार दो?'

मँगरी ने इनकार में सिर हिलाया।

'फिर कभी करोगी ऐसा...?'

'आप भी बोलो...कभी जबरदस्ती नहीं करोगे।'

'मैं तो करूँगा...अब तो और भी करूँगा।' कहता हुआ मैनेजर एकदम उससे सटकर खड़ा हो गया।

घबराकर मँगरी पीछे हटी। मैनेजर भी आगे बढ़ा। मँगरी उलटे कदमों और पीछे हो गई। मैनेजर भी आगे बढ़ा। अन्त में मँगरी की पीठ दीवार से सट गई। मैनेजर बिलकुल उसके सामने, उससे सटता हुआ खड़ा था। किसी अनहोनी की आशंका से घबराकर मँगरी की आँखें बन्द हो गईं। घबराहट के मारे सीना तेजी से ऊपर-नीचे हो रहा था। उसे लग रहा था बस अभी मैनेजर उसे दबोच लेगा और...!

जब मँगरी को होश हुआ तो वहाँ मैनेजर नहीं था। उसके गालों पर लेकिन मैनेजर के होंठों की गरमी थी। उसने हौले से गाल की उस जगह को छुआ जहाँ मैनेजर ने बेसुध होने से ठीक पहले उसका चुम्मा लिया था। मैनेजर के होंठ शायद अभी भी वहीं चिपके थे। मँगरी ने शर्म से अपना चेहरा अपनी ही हथेलियों में छुपा लिया।

मन ही मन मुस्काई, 'ई मनीजर तो सचमुच खराब आदमी है!'

लगभग बीसेक दिनों तक मैनेजर ने फिर ऐसी कोई हरकत नहीं की। बस वह खाते-खाते उसे देखता, उसकी एक-एक अदा को निहारता और 'फ्लाइंग किस' उसकी ओर उछालकर चला जाता। उसके जाने के बाद मँगरी घंटों उसके बारे में सोचती, और कभी-कभी उसकी तरह ही 'फ्लाइंग किस' करने की नकल उतारती। फिर खुद में ही शरमा जाती।

उस दिन बारिश हो रही थी।

रात का खाना बनाने और खिलाने के बाद मँगरी इन्तजार कर रही थी कि थोड़ा पानी कम हो तो वह घर जाए। पर पानी था कि कम ही नहीं हो रहा था।

मैनेजर ने छाता लिया और उससे बोला, 'चलो, तुमको घर छोड़ आता हूँ।'

मँगरी ने उसके हाथ से छाता ले लिया, 'मैं चली जाऊँगी।'

मैनेजर ने वापस उसके हाथ से छाता छीन लिया, 'मैं चल रहा हूँ न छोड़ने। इसी बहाने तुम्हारे साथ बारिश का आनन्द ले लूँगा।'

मँगरी ने फिर छाता लेने के लिए हाथ बढ़ाया। मैनेजर ने छाते वाला हाथ पीछे खींचा, फिर छाता खोल लिया। कोई उपाय नहीं देख मँगरी छाते में आ

गई। दोनों लकड़ी की सीढ़ियों से उतरे और गेट की ओर आगे बढ़े। दोनों को किसी और के साथ एक ही छाते में चलने की आदत नहीं थी। इसलिए चलते हुए टकरा रहे थे और गेट से ठीक पहले बैलेंस बिगड़ जाने से मैनेजर औंधे मुँह जमीन पर गिर पड़ा। छाता हाथ से छूटकर एक ओर जा पड़ा। मैनेजर गीली मिट्टी में लथपथ था, तो मँगरी भी पूरी तरह से भीग चुकी थी। मैनेजर किसी तरह उठा। उसके जूते में मिट्टी भर गई थी। चलने के लिए पैर बढ़ाया तो जोर से डगमगा गया। मँगरी को लगा वह गिर पड़ेगा। फौरन उसने उसको थाम लिया।

मैनेजर ने उस बारिश में भीगते हुए होंठों से कहा, 'ऐसे ही पकड़े रहोगी जिन्दगी भर?'

मँगरी का बदन उसकी बात सुनकर थरथरा गया। होंठ चिपक गए। इतने बड़े बागान का मैनेजर उसे एक सपना दिखा रहा था या वह सचमुच दिल की बात कह रहा था।

उसने सर उठाकर मैनेजर की आँखों में देखा।

'तुमसे शादी करना चाहता हूँ...अगले ही संडे।'

अब सोचने के लिए या सन्देह के लिए जरा भी जगह नहीं थी। मँगरी का दिल मुस्कुराया। मैनेजर उसे चाहता है, यह एहसास तो उसे उसी दिन हो गया था, जिस दिन मैनेजर ने जबरदस्ती उसे अपने साथ खाना खाने पर मजबूर किया था। इसी एहसास के कारण ही वह दोबारा लौटी भी थी उसके पास।

वह पंजों के बल पर उचकी और उसकी गर्दन में झूल गई।

मैनेजर ने बाँहों में उसको भर लिया और खुशी से नाच उठा।

बारिश की संगीत पर प्रेमियों का यह अद्‌भुत नृत्य था।

हराधन ने जिसे कभी मजाक में और दुलार में 'मेम' कहा था वह सचमुच में अगले रविवार को उसके ही नहीं, समस्त बागान वासियों के समक्ष मेम बनकर खड़ी थी। चर्च के बाहर। मैनेजर रोजवेलगुड की बाँहों में बाँहें डाले। 'मालिक' और 'चाय बगनिया' के इस विवाह में कोई भी ब्रिटिश शामिल नहीं हुआ था। चाहे वह पोस्ट से कितना छोटा हो या कितना बड़ा। बागान के मजदूरों के साथ सिर्फ मँगरी के माँ-बाप और परिवार के लोग थे। रोजवेलगुड ने उसी रात मँगरी की गोद में पड़े-पड़े अपनी माँ को पत्र लिखा।

विवाह के चार महीने बाद बाद पहला क्रिसमस आया तो रोजवेलगुड छुट्टी मनाने मँगरी को साथ लेकर कलकत्ता आ गया। मँगरी दिल से और देह से रोजवेलगुड के साथ थी, पर उसका मन बार-बार चाय बागान चला जाता था। जहाँ उसका बचपन बीता, वह जवान हुई और उसे रोजवेलगुड जैसा प्रेमी पति मिला।

पहली जनवरी का 'न्यू इयर्स डे' का उत्सव कलकत्ता में मनाकर जब रोजवेलगुड वापस ललमाटी चाय बागान लौटा, तो इलाके की हवा में बहुत बड़ा परिवर्तन आ गया था। 'जरमन बाबा' का एक रहस्यमयी गीत चाय बागानों में बुरी तरह से फैला हुआ था। खासकर डुवार्स के चाय बागानों में जहाँ उराँव आदिवासियों की संख्या ज्यादा थी।

बनिया उराँव, लोधा उराँव और मँगरा उराँव बागान-बागान घूमकर आदिवासी मजदूरों को काम बन्द कर देने के लिए, अंग्रेजों के खिलाफ लड़ाई में शामिल होने के लिए जरमन बाबा का गीत गाते फिर रहे थे। सारूगाँव चाय बागान का हसरू और चन्दरू, तास्ती चाय बागान का दुबलाइ और लेठो उराँव, ऐसे कई लोग थे जो जरमन बाबा का नाम लेते हुए ब्रिटिश बागान मालिकों के खिलाफ, अंगरेजी राज को उखाड़ फेंकने के लिए सक्रिय थे।

उधर सोनाजुली, हेलेम, कछारीगाँव, काथोनी चाय बागान आदि में पादरी ख्रिस्तसन मुंडा अपने सहयोगियों के साथ लोगों को संगठित करने में दिन रात जुटा हुआ था। इन सभी चाय बागानों में मुंडा आदिवासियों की आबादी ज्यादा थी।

1916 की जनवरी महीने में 'रहस्यमयी गीत' गाने, रात में गुप्त बैठकें करने और बागानों में मजदूरों को भड़काने के आरोप पुलिस ने दर्ज किए। पहली मार्च को 'डुवार्स चाय बागान मालिक संगठन' ने बैठक कर इस पर गहरी चिन्ता जाहिर की और पुलिस कमिश्नर से तुरन्त कार्रवाई करने की अपील की। बागान मालिक संगठन के अध्यक्ष ने अपनी रिपोर्ट में कहा कि आन्दोलनकारियों की बैठकें रात में हो रही हैं और फगुआ के बाद सुनियोजित हमला करने का षड्यंत्र रचा जा रहा है। एक मार्च को ही एसपी पीसी मोन्कटोन ने तास्ती चाय बागान का दौरा किया और आदिवासियों से पूछताछ की। दुबलाइ और लेठो उराँव दो सरदारों ने एसपी को 'रहस्यमयी भजन' गाकर सुनाया। इस गीत में कहा गया था कि अंगरेजी राज का खात्मा करने के लिए जरमन बाबा आ

रहा है। सब लोग तैयार हो जाएँ। जो लोग यह भजन नहीं गाएँगे और लड़ाई में शामिल नहीं होंगे उन्हें बुरी आत्मा मार डालेगी। अगले दिन एसपी ने दस उराँवों को गिरफ्तार किया जिसमें लेठो भी शामिल था जिसने प्रशासन के आग्रह पर मीटिंग आयोजित कर पुलिस का सहयोग किया था।

इन सब घटनाओं से रोजवेलगुड आहत था। वह समझ रहा था कि इस आन्दोलन में सिर्फ उराँव लोग शामिल नहीं थे। बागान में काम करने वाले सभी लोग थे। चाय बागानों में मजदूरों की बहुत शोचनीय स्थिति थी। वे एक तरह से चाय बागानों के मुफ्त के गुलाम थे। उसके अपने ही बागान के ताँती, महतो, खड़िया, अहीर, बड़ाईक सभी समुदाय और जाति के लोग जरमन बाबा का गीत गा रहे थे। खुद मँगरी के माँ और बाबा भी टाना भगत बन चुके थे। उसकी समझ में नहीं आ रहा था कि वह क्या करे। उस दिन तो उसकी हालत और भी खराब हो गई जब मँगरी ने कहा कि वह उसके साथ बँगले में नहीं, कुली लाइन वाले घर में अपने माँ-बाप के साथ रहेगी।

उसके सीने से लगे-लगे मँगरी बोली, 'मेरा दिल बहुत घबरा रहा है। सोचती हूँ कुछ दिनों के लिए माँ-बाबा के साथ रहूँ।'

रोजवेलगुड ने समझाया, 'अभी बागान का स्थिति अच्छा नहीं है। माँ-पिता तुमसे दूर तो हैं नहीं। जब चाहो मिल आओ। पर मुझे छोड़कर वहाँ मत रहने लगो।'

'हमेशा के लिए थोड़ी जाने को कह रही हूँ। बस कुछ दिनों के लिए। बीच-बीच में आती रहूँगी। मान जाओ न...।'

रोजवेलगुड तैयार नहीं हुआ।

दूसरे दिन जब रोजवेलगुड बागान के दौरे पर था मँगरी अपने माँ-बाप के यहाँ चली गई।

शाम को रोजवेलगुड उसके घर पहुँच गया। मँगरी नहीं लौटी उसके साथ। बोली बस दो दिन बाद आ जाऊँगी।

दो दिन बीत गए, तीन दिन बीत गए...दस दिन बीत गए। मँगरी मेम साब अपने साहब के पास नहीं लौटी।

ग्यारहवें दिन सुबह-सुबह ही रोजवेलगुड पन्द्रह नम्बर कुली लाइन के उस घर में जा पहुँचा जहाँ उसकी मेम साब रहती थी। मँगरी घर पर नहीं थी। उसकी माँ ने बताया वह तो सप्ताह भर पहले ही यहाँ से चली गई है। कहाँ गई है पूछने

पर माँ जिरगी बोली, 'नहीं मालूम बेटा। कुछ लोग आए थे दूसरे बागान से, उन्हीं लोगों के साथ चली गई है।'

'कब तक लौटेगी?' उदास रोजवेलगुड ने पूछा।

'कुछो नइ पता।'

रोजवेलगुड जानता था उसकी माँ झूठ नहीं बोल रही है। लगभग निष्प्राण होकर लौट आया वह।

शाम को मेट हराधन ताँती ने आकर उसको बताया, 'क्या बोलें साहब! मँगरी माँ-बाबा के पास बहुत खुश थी। बोली कि दो दिन बाद जाएगी। लेकिन उसी रात दूसरा बागान से लोग आए और मँगरी को बेइज्जत करने लगे। कह रहे थे कि तुम अंगरेज से सादी बना के गलत किया। तुम अब आदिवासी नहीं हो। वह गुस्सा गई। एक ने भीड़ में आपको गाली दिया तो उसको मारने दौड़ गई थी साब।...रात भर उसका घर का आगे खूब बहस हुआ। सुबह में सुना कि मँगरी उन लोगों का साथ चली गई। यही बोल रही थी कि उ आदिवासी मजदूर है और मजदूर लोग का ही साथ रहेगी।'

'किस बागान के लोग थे?'

'हम तो नहीं थे साब। लोगों को पूछा तो कोई ठीक से नहीं बताया। इधर का सब चाय बागान का नाम लेने लगे...'

'ठीक है, खबर रखना और कुछ भी जानकारी मिले तो तुरन्त आकर बताना। दिन हो कि रात। किसी भी वक्त।'

'जी साहब।' सलाम ठोंकते चला गया हराधन।

अगले कुछ महीनों में भयंकर उपद्रव किया बागान के मजदूरों ने। जरमन बाबा के टाना भगतों ने कई बागानों में जुलूस निकाल, प्रदर्शन किए, इसके प्रभाव में कई अत्याचारी बागान कर्मचारियों और अंग्रेज मैनेजरों की जमकर धुलाई हुई तो कई जगहों पर हड़ताल हुए।

ख्रिस्तसन मुंडा और उसके सहयोगियों ने बागानों में लगने वाले बाजारों पर एक के बाद एक कई हमले किए। महाजनों और व्यापारियों को इन स्थानीय हाटों में चुन-चुनकर निशाना बनाया गया।

इन आन्दोलनों को दबाने के लिए दमन चला। सैकड़ों आदिवासी गिरफ्तार

हुए। उन्हें सजा हुई। ख्रिस्तसन मुंडा को फुलबारी चाय बागान में सरेआम फाँसी पर लटका दिया गया।

1916 की इन घटनाओं के बीच पागलों की तरह ढूँढ़ता रहा रोजवेलगुड अपनी मँगरी को। पर उसे निराशा ही हाथ लगी।

दो साल बीतने को थे मँगरी को बिछड़े हुए। रोजवेलगुड उसकी याद में सूखकर सूखी हुई चाय की पत्ती बन गया। उसने अपनी पहुँच के आधार पर हर कोशिश कर ली। लेकिन मँगरी मेम साब का पता नहीं लगा। उसका दिल उचट गया। कुछ ही दिनों बाद उसने बागान छोड़ दिया और कलकत्ता रहने लगा। लेकिन वहाँ भी उसका दिल न लगा। अन्ततः वह अपना उदास तड़पता हुआ दिल और मँगरी मेम की यादों को लिये हुए अपने वतन वापस लौट गया।

उसके जाने के करीब साल भर बाद मँगरी अचानक एक दिन ललमाटी चाय बागान में वापस लौट आई। आते ही सबसे पहले मैनेजर के बँगले पर गई। गेट खोलकर वह अन्दर जाने ही वाली थी कि देखा अहाते में एक मेम अपने पाँच-सात साल के दो बच्चों के साथ धूप में बैठी है। उसके कदम जम गए।

गेट पर किसी को खड़ा देखकर मेम ने आवाज दी। बँगले के भीतर से एक आदिवासी औरत निकलकर उसके पास आई। मँगरी उसको, और वह मँगरी को नहीं पहचानती थी।

उस औरत ने मँगरी से पूछा, 'साहब से मिलना है क्या?'

मँगरी ने हाँ में सिर हिलाया।

औरत बोली, 'वो तो कलकत्ता गए हैं। कोई जरूरी काम हो तो मेम साब हैं, उनको 'देखा' कर सकती हो।'

'तुम्हारे साब कब आएँगे?' बहुत दर्द के साथ पूछा मँगरी ने। उसे विश्वास नहीं हो रहा था कि...

'होभर साब तो चार दिन बाद आएँगे।'

'होभर...? रोजवेलगुड साब नहीं हैं क्या?'

'वो तो पहले रहते थे। सुना है उनकी कोई अउरत थी। लड़ाई का समय में गायब हुई तो फिर नहीं मिली। बेचरंगा टूटा हुआ दिल लेकर बागान छोड़कर चले गए। साल भर से जादा हो गया...'

मँगरी की रुलाई आसमान को फाड़ती हुई शून्य में खो गई। उसे चक्कर आया और वह अचेत होकर उस औरत की बाँहों में झूल गई।

2 अप्रैल, 1921 की बात है।

चाय बागान में एक बहुत बड़ा जुलूस निकला। बागान में हो रहे अत्याचारों के खिलाफ। सूदखोरी और शराब के खिलाफ। ब्रिटिश राज के खिलाफ। गांधी नेतृत्व वाली कांग्रेस के स्थानीय असहयोग आन्दोलनकारी भी ओ. के. दास के साथ जुलूस का हिस्सा थे। पर इस जुलूस का नेतृत्व एक औरत कर रही थी। उसका नाम मालोती उराँव था। जुलूस पर अचानक ब्रिटिश पुलिस ने बिना कोई चेतावनी दिए फायरिंग शुरू कर दी। गोलियों से बचने के लिए प्रदर्शनकारी तितर-बितर हेने लगे। लेकिन बचते-बचते भी अनेक लोग गम्भीर रूप से हताहत हो गए। परन्तु पहली गोली उस महिला की जान ले चुकी थी, जो जोशोखरोश से नारे लगाते और प्रदर्शन का नेतृत्व करते हुए पहाड़ी नदी-सी ब्रिटिश राज की ताकत और दमन को धता बताती हुई बेधड़क बढ़ी चली जा रही थी। उसका शहीद शरीर बागान की धरती पर मुक्ति की चाह में बेजान पड़ा हुआ था। उसकी देह अपने ही लहू में डूबती जा रही थी। वह नेतृत्वकारी महिला थी मालती उराँव उर्फ मालती मेम।

मालती—यह नाम उस शहीद आदविासी महलिा को इस जघन्य घटना के छह साल पहले उसके प्रेमी ने दयिा था। मालती यानी ललमाटी चाय बागान की मँगरी मेम साब। रोजवेलगुड प्यार से अपनी मँगरी को 'मालती' कहता था। असम के चाय बागानों में आदविासी-मजदूर हक-हकूक, और देश के लएि जान देने वाली वह पहली आदविासी महलिा है।

गुलईची और बादल

गर्मी के दिन आने ही वाले थे। बसंत की कोमलता तेज होती धूप से कुम्हलाने लगी थी। राँची में कार्यरत अंग्रेज अधिकारियों के चेहरों पर बढ़ती हुई धूप के साथ-साथ मौके-बेमौके रह-रहकर उभर आने वाली खुशियों की चमचमाहट को कोई भी देख सकता था। आखिर साल भर में एक बार तो गर्मी आती है जब एकमुश्त उन्हें दो महीने की छुट्टियाँ मिलती हैं। इन छुट्टियों में कई अपने घर विदेश जाते हैं, तो कई भारत के उन पहाड़ों पर चले जाते हैं, जहाँ वे गुनगुनी धूप के साथ ठंड का आनन्द लेते हैं। जो अविवाहित या अकेले हैं, वे अकेले या अपने जैसे ही एक-दो साथियों के साथ जाते हैं, तो परिवार वाले सपरिवार जाते हैं।

सबसे नजदीकी जो हिल स्टेशन है, वह नेतरहाट है। समुद्र तल से 3800 फीट की ऊँचाई पर बसे इसी नेतरहाट में आदिवासी बहुल प्रोविंस (राज्य) के महामहिम अर्थात् गवर्नर का पड़ाव अक्सर गर्मियों में रहता है। यह परम्परा गवर्नर ई.ए. गेट ने डाली है। गेट से पहले नेतरहाट को लेकर इतना आकर्षण कभी नहीं रहा था। शायद टाना भगतों के आन्दोलन के दौरान गेट महोदय का कई दौरा उस ओर हुआ था। तब उन्हें नेतरहाट की अनुपम खूबसूरती के बारे में पता चला। 1915 के आसपास गेट ने नेतरहाट की चौरस पहाड़ियों पर गर्मी के दिनों में आराम के खयाल से एक स्थायी आवास बनाने की योजना बनाई। सेना के अधिकारियों ने कहा कि नेतरहाट घूमने के लिहाज से बहुत अच्छी जगह है, लेकिन स्थायी आवास के लिए उपयुक्त नहीं है। क्यों? पूछने पर अधिकारियों ने बताया, 'पानी की कमी है। फौज की एक छावनी हमने बुधु भगत और चेरों-खरवारों से हुए युद्ध के दौरान नेतरहाट में स्थापित की थी। पानी की कमी के कारण बाद में हमें अपनी पूरी छावनी ही वहाँ से हटा लेनी पड़ी।'

गेट महोदय भला पानी से क्यूँ हार मान लेते। वे ब्रिटिश फौज में लेफ्टिनेंट रह चुके थे। उनका फौजी मन पानी की कमी से भिड़ने के लिए तैयार होने लगा। दिल नेतरहाट की लुभावनी वादियों में जो फँसा था। उन्होंने कई दिनों तक पानी की समस्या पर सोचा और फिर सबसे पहले वहाँ एक छोटा-सा डैम बनवाया। इसके बाद यूरोपियन और इटैलियन वास्तुकला के विशेषज्ञों को बुलाकर एक सुन्दर-सा भवन खड़ा करके ही माने। सरकारी कागजों में नेतरहाट के इस नए गवर्नर हाउस को 'द चैपल' कहा गया।

राँची में लेफ्टिनेंट गवर्नर बनकर आए वर्तमान लाट महोदय की यह पहली गर्मी है। वे और उनका पूरा परिवार दोनों नेतरहाट प्रवास के लिए मानसिक रूप से प्रफुल्लित हैं। उन्होंने तय किया है कि मई के पहले सप्ताह में ही नेतरहाट चले जाएँगे। पुलिस अधिकारियों और गुप्तचरों की सलाह है अभी नेतरहाट में रहना जोखिम से भरा है। टाना भगतों का आन्दोलन पूरा-पूरी खत्म नहीं हुआ है। किसी भी समय कोई उपद्रव हो सकता है।

गवर्नर महोदय रिपोर्ट और सलाह सुनने के बाद कहते हैं, 'वेल! मैं जानता हूँ कोई भी आन्दोलन और उससे जुड़ा विचार अचानक नहीं खत्म होता। बट इट इज आलसो फैक्ट, टाना भगत आर वेरी पीसफुल एंड नॉन-वायलेंट पीपुल। दे आर सो सिम्पल, हम्बल एंड प्रिमिटिव सत्याग्रही। उनसे कोई खतरा नहीं है।'

पुलिस अधिकारी निरुत्तर हो गए।

मई महीने की पहले सप्ताह के पहले चर्च के दूसरे दिन शाम होने से पहले गवर्नर का परिवार लाव-लश्कर सहित नेतरहाट पहुँच गया। गवर्नर की आवभगत में पिछले दस दिनों से अलर्ट 'द चैपल' के खानसामे ने आते ही उन्हें और उनके परिवार को चाय पेश की।

'वंडरफुल! ग्रेट टेस्ट।' चुस्की लेते हुए लेडी गवर्नर बोली।

'यह यहीं उगाई गई चाय है हर हाइनेस।' खानसामा ने बड़ी अदब के साथ बताया।

'रीयली?' चहककर गवर्नर की बीस-बाईस वर्षीया बेटी मैग्नोलिया ने अपने पिता की ओर देखा।

गवर्नर महोदय का सीना चौड़ा हो गया। 'यस माई डियर।' मि. गेट बहुत दूरदर्शी थे। उन्होंने इस चैपल के निर्माण के साथ ही यहाँ चाय का एक छोटा-सा बागान भी लगवाया था।

'अगर हिज हाइनेस टायर्ड नहीं हैं, तो सनसेट का टाइम हो चला है। कोचवान को बस हुक्म करने की देर है।' खानसामे ने कहा।

'ओह नो! आज नहीं।' थके हुए गवर्नर महोदय ने पत्नी और बेटी की ओर देखकर पूछा, 'तुम लोग क्या कहती हो?'

'आई एम नॉट टायर्ड...मैं तो जाऊँगी।' एडवेंचर के उत्साह से ललककर मैग्नोलिया बोली।

'डैडी राइट डियर...कल चलेंगे।' लेडी गवर्नर ने अपने पति की इच्छा का मान रखते हुए बेटी को समझाया।

बेटी का चेहरा उतर गया। उसने चाय की कप टेबल पर रख दी और उठकर गवर्नर के पास चली आई। प्यार से पिता की गर्दन में पीछे से हाथ डाला और झुकते हुए छोटी-सी बच्ची की तरह बोली, 'प्लीज डैडी, चलो न?'

पिता ने बेटी के हाथ को थपथपाया, 'चलेंगे डियर। सूरज कल फिर आएगा और कल फिर सनसेट होगा। अभी मैं सचमुच बहुत थक गया हूँ। अंडरस्टैंड मी।'

'ओके...आप दोनों टेक रेस्ट, मैं अकेले जाती हूँ।'

गवर्नर महोदय ने खानसामे की ओर देखा।

'हिज हाइनेस निश्चिन्त रहें। बेबी अकेले जा सकती है। फिर गाड्र्स रहेंगे ही साथ में। वैसे भी यह पूरा इलाका बहुत शान्त है। नो डिस्टरबेंस लाइक डाउन साइड हिली एरियाज। इधर बिरजिया नेटिव हैं। दे आर वेरी-वेरी जेन्टल पीपल।' खानसामा ने गवर्नर महोदय को आश्वस्त किया।

'यू कैन गो डियर।' गवर्नर महोदय ने बेटी को अकेले जाने की इजाजत दे दी।

खुली बग्घी से नेतरहाट की वादियों को देखना, एक बिलकुल अलग किस्म का एहसास था, जो मैग्नोलिया को मोटरकार से आते हुए नहीं हुआ था। अभी तो उसकी नीली आँखों के सामने सब कुछ खुला-खुला था। वातावरण में कोई शोर नहीं, आसमान में धूल का एक भी कण नहीं, हवाओं में दूसरी कोई भी अवांछित गन्ध नहीं, सब धुला-धुला निर्मल और सुगन्धित। चारों तरफ गहरी घाटियाँ, घाटियों में तरह-तरह की वनस्पतियाँ, रंग-बिरंगे पंछी, जानवर और कितने-कितने रंगों वाली तितलियाँ।

रोज की तरह उस दिन भी सूरज डूबा। मैग्नोलिया ने इस तरह से और इतने पास से कभी सूरज को डूबते नहीं देखा था। अद्भुत दृश्य था। उसकी पलकें

एक बार के लिए भी नहीं झपकीं। और जैसे ही सूरज पूरी तरह से डूब गया, उसके दिल से आह निकल गई।

वह अपनी आह में अभी कुछ पल और डूबी रहती, यदि अचानक उसके कानों में बाँसुरी की एक उदास धुन न सुनाई दे देती। उसने बेचैन होकर इधर-उधर देखा। दूर-दूर तक कोई नहीं था साथ आए गार्ड्स के अलावा। बाँसुरी का स्वर लगातार उसके भीतर डूबते हुए सूर्यास्त की उदासी को गहरा रहा था। उसने गार्ड्स की ओर सवालिया निगाहों से देखा।

गार्ड्स इंचार्ज ने जवाब दिया, 'लगता है कोई नेटिव बाँसुरी बजा रहा है। आसपास ही कहीं होगा...।'

'कैन यू सर्च हिम?'

'यस...बट नॉट पॉसिबल इन नाइट। कल पता लगा लूँगा।'

मैग्नोलिया लौट पड़ी। बाँसुरी की धुन उसके हृदय से चिपक गई थी। जैसे-जैसे वह सनसेट प्वाइंट से दूर हो रही थी, बाँसुरी की आवाज और स्पष्टता से उसके कानों के रास्ते दिल में उतरती जा रही थी।

दूसरे दिन जब गवर्नर दंपती ब्रेकफास्ट पूरा कर चुके थे, मैग्नोलिया लकड़ी और बाँस से बने राजभवन के सुसज्जित और सुविधापूर्ण कमरे में सोयी हुई थी, एक गार्ड ने आकर सूचना दी कि वह बाँसुरी बजाने वाले को ले आया है। गवर्नर दंपती कल के प्रसंग से अनजान थे।

'किसको लाए हो?' गवर्नर महोदय ने गार्ड्स इंचार्ज से पूछा।

'श्रीमान, एक नेटिव है। वही कल शाम बाँसुरी बजा रहा था।'

'तो...उसे यहाँ क्यों लाए हो?'

'श्रीमान, बेबी का आदेश था।'

'इज ही प्रोफेशनल फ्लूट प्लेयर?' गवर्नर ने जानना चाहा।

'नो हिज हाइनेस। सभी नेटिव लोग बाँसुरी बजाते हैं। ही इज एन असुर बिरजिया नेटिव फेलो...शेफर्ड।' गार्ड्स इंचार्ज ने बताया।

'ठीक है। उसको बिठाकर रखो। बेबी उठेगी तो बता दूँगी।' लेडी गवर्नर ने गार्ड्स इंचार्ज को जाने का इशारा किया।

गार्ड्स इंचार्ज चला गया।

'लगता है बेबी ने कल शाम को उसको सुना होगा।'

'हाँ।' लेडी गवर्नर ने मुस्कुराते हुए कहा।

'वेकअप डियर। समबडी वेटिंग फॉर यू।' माँ ने बेटी को उठाते हुए कहा।

माँ की आवाज सुनकर मैग्नोलिया जाग उठी। 'कौन है ..?' उसने अँगड़ाई लेते हुए माँ को देखा।

'ए फ्लूटवाला।'

'फ्लूटवाला' सुनते ही मैग्नोलिया हड़बड़ाकर उठी और मखमली रज़ाई एक ओर फेंककर टॉयलेट में घुस गई।

थोड़ी ही देर बाद वह तैयार होकर बरामदे में थी। उसने अपनी नजरें इधर-उधर दौड़ाईं। गार्डन में काम करते हुए माली, गाड्र्स और दो-चार मजदूरों के अलावा उसे और कोई नया चेहरा नहीं दिखा। तभी एक गार्ड उसके पास आया और उसने बताया कि फ्लूटवाला बागीचे में बैठा है।

गवर्नर हाउस के अहाते में आम, जामुन, कटहल, कुसुम आदि फलदार पेड़ों वाला सायेदार बागीचा था। सबसे ज्यादा पेड़ नाशपाती के थे। वहीं, एक आम पेड़ के नीचे वह फ्लूटवाला बैठा था। मैग्नोलिया उसके करीब पहुँचकर रुक गई। वह बिरजिया आदिवासी युवक, जिसकी उम्र मैग्नोलिया जितनी ही थी, उसके आते ही उठकर खड़ा हो गया।

'जोहार।' बाँसुरी को उसने अपनी कमर में खोंसते हुए मैग्नोलिया का अभिवादन किया।

मैग्नोलिया को समझ में नहीं आई उसकी भाषा। पर दैहिक भंगिमा से लग गया कि वह उसका अभिवादन कर रहा है।

'गुड मॉर्निंग।' मैग्नोलिया ने भी दोनों हाथों को जोड़ते हुए जवाब दिया। 'कल तुम्हीं बाँसुरी बजा रहे थे?'

बिरजिया असुर आदिवासी युवक कुछ समझा नहीं।

तब तक गार्ड बेंत की आरामकुर्सी लेकर वहाँ पहुँच गया था। उसके साथ माली भी था। मैग्नोलिया कुर्सी पर बैठ गई और युवक को भी बैठने का इशारा किया। माली ने इस बीच, जो कि बिरजिया असुर की भाषा समझता था, युवक को उसकी भाषा में समझा दिया था कि मैग्नोलिया उससे क्या पूछ रही है।

इसके बाद काफी देर तक मैग्नोलिया उससे उसके बारे में, उसके परिवार के बारे में, इलाके के बारे में बहुत कुछ पूछती रही। वह बिरजिया असुर युवक,

जिसका नाम रिमिल था, सकुचाते हुए जवाब देता रहा। माली दोनों के बीच दुभाषिया बना रहा। जाने से पहले मैग्नोलिया के आग्रह पर उसने बाँसुरी बजाई।

मैग्नोलिया ने उसे कुछ पैसे देने चाहे, लेकिन रिमिल ने लेने से इनकार कर दिया। बोला था, पैसे लेकर वह क्या करेगा।

नेतरहाट के गवर्नर हाउस के लिए यह एक सामान्य और औपचारिक मुलाकात थी। यहाँ के कर्मचारियों के लिए ऐसे दृश्य आम थे। जब भी गवर्नर और बड़े अधिकारी नेतरहाट आते इस तरह का कुछ न कुछ जरूर होता था। किसी को आदिवासी का नाच अच्छा लगता तो किसी को उनका गाना। कोई उनके आभूषणों पर मुग्ध होता, तो कोई उनकी तीरंदाजी और शिकारीपने पर। एक साहब तो हँड़िया (चावल की शराब) पर ही फिदा हो गए थे। वह जब तक यहाँ रहे, बस दिन-रात हँड़िया ही पीते रहे।

अगले कुछ दिन ऐसे ही सामान्य गुजरे। गवर्नर परिवार सहित नेतरहाट की प्राकृतिक छटा का आनन्द लेते रहे। गहरी घाटियों में उतरे, तो झरनों का भी आनन्द लिया। कई अनदेखे पक्षियों और तितलियों को देखा। नए-नए वनस्पतियों और फूलों के पौधों से भी परिचित हुए। नेटिव बिरजिया असुरों के नृत्य, गीत और संगीत से भी तृप्त हुए।

सब कुछ सामान्य चल रहा था। एडवेंचर के अलावा इसमें कुछ भी असामान्य नहीं था। लेकिन मैग्नोलिया के हृदय में पहले दिन के सूर्यास्त वाली बाँसुरी की गहरी उदास धुन जम गई थी जो उसे जब-तब बेचैन कर देती। तब उसकी आँखों में रह-रह कर कौंध उठती बिरजिया असुर युवक रिमिल की छवि। उसकी बाँसुरी।

संयोग से कुछ ही दिन बाद, शायद मई के अन्तिम सप्ताह में, जब वह अकेली सनसेट प्वाइंट पर थी, उसे फिर से बाँसुरी की वही आवाज सुनाई दी। उसके दिल की धड़कन तेज हो गई। उसने आवाज की दिशा में देखा। लेकिन सखुआ के पेड़ों के झुरमुट के सिवा कुछ नहीं दिखा। तब स्वत: ही उसके पैर उस ओर बढ़ चले। गाड्र्स और कोचवान उसके पीछे चलने को हुए। मैग्नोलिया ने इशारे से उन्हें रोक दिया।

समतल और असमतल पथरीली चट्टानों पर चलते हुए जब वह सखुआ पेड़ के झुरमुटों के पास पहुँची तो देखा कि वही बिरजिया असुर आदिवासी

युवक रिमिल पूरी तन्मयता से बाँसुरी बजा रहा है। उसके पाँवों की आहट से कहीं वह सचेत न हो जाए, ऐसा सोचकर मैग्नोलिया कुछ दूरी पर ही रुक गई। चुपचाप किसी बुत की तरह। लेकिन जब उसके करीब जाने की इच्छा को वह दबाए नहीं रख सकी तो दबे-पाँव चलकर उसके नजदीक जा पहुँची। बाँसुरी में डूबे हुए रिमिल को बिलकुल भान नहीं हुआ कि कोई उसके समीप आ गया है।

यह बाँसुरी का जादू था या रिमिल के व्यक्तित्व का आकर्षण, उसने खुद को उसके प्रेम में पाया। मैग्नोलिया को एहसास हुआ कि बाँसुरी के साथ-साथ वह बाँसुरीवाला भी उसके दिल में उसी दिन से बस गया है, जब उसने पहली बार उसकी बाँसुरी सुनी थी। वह आगे बढ़ी और अपना सिर उसके कन्धे पर टिका दिया।

रिमिल चौंक पड़ा। बाँसुरी के सुर थम गए। सिर घुमाकर देखा रिमिल ने, तो मैग्नोलिया थी। उसने हड़बड़ाकर उठने की कोशिश की। उठ नहीं पाया। मैग्नोलिया ने उसका हाथ पकड़ लिया था।

रिमिल ने झटके से हाथ छुड़ाया और एक ही पल में उसकी आँखों के दायरे से और पहुँच से अदृश्य हो गया। डूब गए सूरज की ओर।

गार्ड उसे आवाज दे रहे थे।

भीतर ही भीतर अपने व्यवहार से और रिमिल के इस तरह से चले जाने से मैग्नोलिया आहत थी। उसे ऐसा नहीं करना चाहिए था सोचते हुए वह लौट पड़ी।

बँगले पर लौटी तो उसका उदास चेहरा देखकर लेडी गवर्नर बोली, 'व्हाट हैपेंड डियर? आर यू ओके?'

'ठीक हूँ मम्मी। थोड़ा थकान है...' बोली मैग्नोलिया और अपने कमरे में जाकर निढाल हो गई।

'क्यों किया मैंने उसके साथ ऐसा?' खुद से वह सवाल करती और इस पर बार-बार सोचती रही। जवाब उसके पास नहीं था। बस दिल में बेचैनी थी। एक अजीब किस्म की प्यास जैसी। क्यों है यह प्यास? क्या वह उस अनजान नेटिव को चाहने लगी है? नहीं-नहीं, यह उसका वहम है। बस उसे उसकी बाँसुरी अच्छी लगी। सिर्फ बाँसुरी? हाँ-हाँ, सिर्फ बाँसुरी।

फिर क्यों याद आते हैं बाँसुरी को चूमते हुए उसके होंठ, कन्धे तक झूलते हुए लम्बे-लम्बे बाल, जंगली लतरों की तरह चेहरे पर बल खाती हुई उसकी

सर्पीली लटें, ताँबे की तरह चमकता हुआ उसका चौड़ा और मजबूत सीना, आँखों की जादुई काली-सफेद पुतलियाँ?

मैग्नोलिया उठकर आदमकद आईने के सामने खड़ी हो गई। गौर से खुद के चेहरे को देखा। लोग कहते हैं चेहरा सच बोलता है। पर उसका चेहरा तो झूठ बोल रहा था।

ओह गॉड! वह फिर से बिस्तर पर गिर पड़ी।

बाँसुरी की वही धुन, जो पहली बार उसने सुनी थी उसके भीतर बज रही थी। बजती ही जा रही थी।

वह खुद से लड़ते हुए बिस्तर पर पालथी मारकर बैठ गई।

दोनों हाथों से छाती को दबाया। बाँसुरी और तेज से बजने लगी।

जब बेबस हो गई तो उठकर बिस्तर पर ही खड़ी हो गई और पागलों की तरह चिल्लाई, 'आइ एम नॉट इन लव।'

छत से टकराकर देर तक गूँजती रही उसकी आवाज—

लव...लव...लव...!

घबराकर मैग्नोलिया ने खुद को रजाई के भीतर छुपा लिया। कुछ पल बीतने के बाद रजाई से सिर बाहर निकाला तो...बाँसुरी वाला रिमिल उसके सामने खड़ा था। उसने फिर से अपना मुँह ढाँप लिया।

यह क्या! बाँसुरी वाला तो रजाई के भीतर था। उसने दोनों हाथों से जोर लगाकर उसे रजाई से बाहर निकलने की कोशिश की। पर वह तो हिला तक नहीं। उसकी साँसें बुरी तरह से हाँफ रही थीं। बाँसुरी की आवाज उसे पागल बना रही थी। उसने खुद को दिल से बेबस महसूस किया। रजाई के भीतर बाँसुरी वाला नेटिव चुपचाप उस पर अपनी निगाहें गड़ाए हुए था।

'यू बास्टर्ड...! तुम ऐसे नहीं मानोगे' बड़बड़ाते हुए मैग्नोलिया उससे जोर से चिपट गई।

सुबह उठी थी तो चिड़ियों की आवाज उसे पहले से ज्यादा प्यारी लगी। उसने सोचा, रात में जो कुछ हुआ वह सपना था या हकीकत? था तो सपना ही...पर हकीकत की तरह। उसके मन की दुविधा जाती रही।

इसके तीसरे दिन मैग्नोलिया अपने मम्मी-डैडी के साथ लोकल हाट घूम रही थी। हाट में घूमते हुए उसे अचानक रिमिल दिख गया। वह साग जैसा कोई

वेजिटेबल लेकर बाजार आया था, उसे बेचने। मैग्नोलिया का चेहरा खिल गया। वह लपककर उसके पास पहुँची। रिमिल उसको आते देख हड़बड़ा गया।

'क्या है?...इसको बेचने आए हो?' मैग्नोलिया ने उसकी परेशानी का आनन्द लेते हुए पूछा।

'हाँ' में सिर हिलाया रिमिल ने और नजरों को झुकाए-झुकाए ही आहिस्ते से बोला, '...साग है।'

गवर्नर की बेटी को रिमिल के पास बैठा देख बाजार के लोग अचरज में थे। वह क्या कर रही है, सोचकर लोग उधर आने लगे थे।

लोगों का हुजूम अपनी तरफ ही आता देख जल्दी से वह बोली, 'हाउ मच? कितना में बेचोगे?'

'दस पैसा...पूरा का।'

'पूरा मतलब...? तुमको मिलाकर।' शरारत थी मैग्नोलिया की आवाज में।

चुप रहा रिमिल।

'कल इन्तजार करूँगी...वहीं। ना मत करना...कल शाम।' कहकर तेजी से उठी मैग्नोलिया और माँ के पास चली गई।

रिमिल की तरफ आती हुई भीड़ ठिठककर रुक गई।

दूसरे दिन शाम को मैग्नोलिया सनसेट प्वाइंट पर थी।

सूरज डूब गया, लेकिन रिमिल नहीं आया।

मैग्नोलिया दिल में घना होता हुआ अँधेरा लेकर लौट आई।

अगली शाम को फिर वही सनसेट प्वाइंट, वही इन्तजार।

...न रिमिल आया, न ही उसकी बाँसुरी की आवाज थी।

अगली शाम फिर। सूरज डूब गया परन्तु रिमिल आज भी नहीं आया। उसका दिल टूटने-टूटने को हुआ। रुलाई गले से बाहर आने के लिए मचल रही थी। दूर बैठा कोचवान उसे ही देख रहा था। मैग्नोलिया उठकर खड़ी हुई और सखुआ पेड़ों के झुरमुट की तरफ चली आई। उसी चट्टान पर जहाँ उस दिन रिमिल उसे झटक कर चला गया था वह बेजान बैठ गई। मुँह को रूमाल से दबाया और रो पड़ी।

रो लेने से जी कुछ हलका हुआ तो उठकर लौटने लगी। अचानक एक पेड़ के पीछे से निकलकर हलके नीमअँधेरे में कोई उसके सामने खड़ा हो गया।

आँसुओं से भीगा मैग्नोलिया का चेहरा खिल उठा। वह उससे लिपट गई। रिमिल बिलकुल शान्त खड़ा था। दोनों के चेहरे बिलकुल आमने-सामने थे। उनके बीच सिर्फ साँसों का फासला था। मैग्नोलिया की नीली और रिमिल की काली आँखें देर तक, अपलक एक-दूसरे में डूबती रहीं। कोई संवाद नहीं, कोई भाषा नहीं। सिर्फ सघन इनसानी एहसास, एक आदिम चाह दोनों के भीतर उग आई थी।

कुछ देर बाद वातावरण की खामोशी टूटी। वही चिर-परिचित बाँसुरी की आवाज से। बाँसुरी से फूटते प्रेमासक्त स्वर लहरियों से। लेकिन अब स्थिति बदल गई थी। बाँसुरी रिमिल था। जिसके चेहरे पर, होंठों पर मैग्नोलिया के पतले अधर नया सुर संगीत रच रहे थे। दोनों की साँसें बाँसुरी की ध्वनियाँ बनकर सूर्यास्त की लालिमा के साथ जुगलबन्दी कर रही थीं। यह प्रकृति के साथ प्रेम था या प्रेमपूर्ण प्रकृति, कोई नहीं जानता था।

प्रेम की इस स्वीकारोक्ति और साहचर्य ने मैग्नोलिया को पूरी तरह से बदल डाला। उसकी देह पर पलाश के फूल उग आए थे और साँसों से कुसुम के मीठे फलों की गन्ध आने लगी थी। रिमिल को याद करते ही वह बाँस की तरह लचक-लचक जाती। उसकी दिनचर्या में फर्क आ गया था और अब उसकी कोई दिलचस्पी प्रकृति भ्रमण में नहीं रह गई थी।

गवर्नर महोदय का काफिला जब भी आसपास के भ्रमण के लिए तैयार होता वह कोई न कोई बहाना बना देती। माँ-पिता के साथ नहीं जाती और मौका देखकर तथा गार्ड्स की नजरें बचाकर जंगल निकल पड़ती जहाँ रिमिल उसका इन्तजार कर रहा होता। वह दिन भर उसके साथ जंगल घूमती। रिमिल की नजरों से हर चीज को देखती जो अब उसके लिए एकदम नई होती। ब्रिटिश एंथ्रोपोलॉजिस्टों और खोजकर्ताओं की परिभाषा और ज्ञान से बिलकुल अलग। लगातार के साहचर्य से भाषा की दीवार कब की ढह गई थी। अब दोनों एक ही भाषा बोलते और समझते थे। सच है, प्रेम को किसी दुभाषिए की जरूरत नहीं होती।

बहाने बहुत दिनों तक नहीं टिकते। गवर्नर महोदय को जल्दी ही आभास हो गया कि उनकी लाडली बेटी जानबूझकर बहाने बनाती है। साथ जाने से बचती है। नेतरहाट भ्रमण का जो उत्साह मैग्नोलिया में था, वह अब नहीं दिखता। मामला क्या है। उन्होंने इस पर बहुत सोचा, लेकिन कोई कारण वे नहीं ढूँढ़ पाए। लेकिन उनका दिमाग कह रहा था कि कुछ न कुछ असामान्य है। तब गवर्नर महोदय ने कारण जानने के लिए एक योजना बनाई। जिसमें उन्होंने लेडी गवर्नर को भी राजदार नहीं बनाया।

रात में डिनर के वक्त गवर्नर महोदय ने कहा, 'कल हम लोग घाघरी वाटरफॉल चलेंगे।'

लेडी गवर्नर बोली, 'खानसामा बता रहा था कि वह तो यहाँ से काफी दूर है।'

'हाँ, दूर तो है...लेकिन हम चलेंगे। क्यों डियर?' गवर्नर महोदय ने अपनी निगाह मैग्नोलिया पर गड़ा दी।

पिता का प्रस्ताव सुनकर मैग्नोलिया कुछ पल तक सोचती रही, फिर अनुत्साहित ढंग से बोली, 'आप लोग जा आइए...आई एम नॉट फीलिंग वेल।'

'ओ.के., ऐज यू विश डार्लिंग।' गवर्नर महोदय ने खाना खत्म करते हुए कहा। 'बट, मिस करोगी। तुम कल्पना नहीं कर सकती। घाघरी एन अमेजिंग वॉटरफॉल।'

'चलो न...' लेडी गवर्नर ने जोर दिया। 'पूरे सप्ताह तुम बाहर नहीं निकलीं। तुम्हारे बिना हम दोनों को अच्छा भी नहीं लगता।'

मैग्नोलिया ने कोई जवाब नहीं दिया।

अगले दिन सुबह-सुबह ही गवर्नर महोदय पत्नी के साथ घाघरी झरना देखने चले गए। उनके जाते ही मैग्नोलिया हमेशा की तरह सबकी नजरों से बचकर जंगल में समा गई।

तयशुदा स्थान पर रिमिल उसके इन्तजार में खड़ा था।

कुछ ही देर बाद वे दोनों एक झरने के पास थे। मैग्नोलिया चिकनी चट्टान पर लेटी हुई थी और रिमिल की साँसें उसकी देह पर सरसराते हुए सरई के पत्तों की तरह धीमा-धीमा शोर कर रही थीं।

कुछ देर बाद मैग्नोलिया ने रिमिल से कहा, वह पहाड़ की उस जगह को देखना चाहती है जहाँ से गिरकर नदी झरना बन जाती है। रिमिल ने कहा, सीधी

चढ़ाई है, वह चढ़ नहीं पाएगी। मैग्नोलिया फिर भी अड़ी रही। कोई चारा नहीं देख रिमिल उसे लेकर पहाड़ पर चढ़ने लगा। लेकिन कुछ ही ऊपर चढ़ने के बाद मैग्नोलिया थक गई। तब रिमिल ने उसे अपनी पीठ पर उठाया और कुछ ही देर की चढ़ाई के बाद पहाड़ की चोटी पर जा पहुँचा।

तब दोपहर हो गई थी।

ऊपर पहुँचे हुए ज्यादा वक्त नहीं हुआ था। रिमिल को अचानक कुछ दूसरी तरह की ध्वनियाँ सुनाई दीं। उसके कान कुत्ते की तरह सजग हो उठे। यह गवर्नर के मोटरगाड़ी की आवाज थी। उसने तुरन्त मैग्नोलिया को खुद से अलग किया।

'लगता है, तम्हारा बाबा वापस आ रहा है।'

'उहूँ...इतनी जल्दी नहीं आ सकते। कहा था रात हो जाएगी।'

'कहा होगा...पर वे लोग लौट रहे हैं। मुझे साफ-साफ उनकी गाड़ी की आवाज सुनाई दे रही है।'

मैग्नोलिया ने आशंकित होकर आवाज सुनने की कोशिश की। लेकिन उसे झरने के शोर के सिवा कुछ नहीं सुनाई दिया।

'विश्वास करो...तुम्हारा बाबा लौट रहा है।'

मैग्नोलिया की देह थरथरा उठी। आज तो वह पकड़ी ही जाएगी। उसका चेहरा रुआँसा हो गया।

रिमिल ने उसे अपनी बाँहों में भर लिया। बोला, 'डरो नहीं। तुम उनके आने से पहले वहाँ पहुँच जाओगी।'

मैग्नोलिया की आँखों में अविश्वास नहीं था।

और सचमुच वह गवर्नर महोदय के लौटने के बस कुछ पहले अपने कमरे में थी। तेज धड़कनों और थरथराती हुई देह के साथ। वह बाल-बाल बच गई थी। उसकी आँखों में रिमिल घूम रहा था जो उसे अपनी पीठ पर उठाए सरपट भागे जा रहा था। किसी घोड़े की तरह पहाड़ों पर उड़ता हुआ। उसने अपनी डरी हुई पर प्रेम के नशे में डूबी हुई आँखें बन्द कर लीं।

गवर्नर महोदय ने फटाक से उसके कमरे का दरवाजा खोला। बेटी सो रही थी। वे सर झुकाकर वापस लौट पड़े। लौटते हुए अचानक उनकी नजर बेटी की सैंडिल पर ठहर गई। उन्होंने झुककर सैंडिल को उठाया। उस पर काली मिट्टी चिपकी हुई थी। उन्होंने मिट्टी को छुआ। मिट्टी बिलकुल ताजी और गीली थी।

उनकी आँखें चिन्ता से सिकुड़ गईं। लेडी गवर्नर को समझ में नहीं आया कि वे अपनी बेटी की सैंडिल को इतनी हैरत से क्यों देख रहे हैं।

शाम को चाय के वक्त गवर्नर महोदय ने प्यार से पूछा, 'कहीं घूमने गई थीं?'

'नो डैडी। कमरे में ही थी।'

'तबीयत तो ठीक है?'

'हाँ, डी.एच. लॉरेन्स का नया नॉवेल 'वूमेन इन लव' पढ़ रही थी। वेरी इंट्रेस्टिंग।'

'गुड। खत्म हो गया या बाकी है?'

'ऑलमोस्ट फिनिश्ड...'

'हाँ, सचमुच बहुत दिलचस्प उपन्यास है। सुना है इसके बारे में। वैसे यह तो लॉरेन्स की 1915 में आई 'द रेनबो' का सिक्वल है। अच्छा बताना गुदरून का क्या होता है जो कोयला खदान के वारिस जेराल्ड से प्यार करती है?'

मैग्नोलिया का चेहरा फक्क हो गया। उसने उपन्यास पढ़ा ही नहीं था। क्या बताती। चुप रही।

गवर्नर महोदय ने बेटी की झूठ को ताड़ लिया। पर प्रत्यक्ष में बात को दूसरी ओर मोड़ते हुए बोले, 'वेल, बाद में बता देना। वैसे, आज तुम साथ चलती तो हम और बढ़िया से एन्जॉय करते।'

'मेरा मन तो इतनी जल्दी लौटने का नहीं था। बहुत खूबसूरत झरना है। लाइक अ फेरीटेल।' गहरी साँस ली लेडी गवर्नर ने।

गवर्नर महोदय ने देखा, बेटी का सिर अभी भी झुका हुआ था। उन्होंने नोट किया उनकी बेटी के स्वभाव में अन्तर आ गया है। उसके होंठ भी कुछ ज्यादा ही गुलाबी लग रहे थे।

रात में सोने से पहले उन्होंने लेडी गवर्नर से अपनी आशंका जाहिर की। सुनकर लेडी गवर्नर सकते में आ गईं। गवर्नर महोदय ने बीवी को समझाया, 'चिन्ता करने की कोई बात नहीं है। हम लोग पहली बार यहाँ आए हैं। लेकिन कुछ तो है जिसे बेबी छुपा रही है।'

दूसरे दिन सवेरे-सवेरे ही उन्होंने सिक्युरिटी चीफ, गार्ड्स इंचार्ज वगैरह को बुलाकर बँगले की चौकसी बढ़ाने की हिदायत दी। उन्होंने फैसला किया कुछ दिन बाहर घूमने नहीं जाएँगे।

प्यार व्यक्ति को बहुत चौकस बना देता है। उसने देख लिया कि बँगले की पहरेदारी पहले से ज्यादा टाइट हो गई है। मैग्नोलिया समझ गई पिता को कुछ सन्देह हो गया है। उसने मन को समझाने की कोशिश की। ध्यान भटकाने के लिए उपन्यास में उलझाने का प्रयत्न किया। पर एक-दो पन्ने से आगे बढ़ ही नहीं पाती। रिमिल का खयाल हावी हो जाता।

अघोषित नजरबन्दी का दूसरा दिन गुजरा। फिर तीसरा, चौथा और पाँचवाँ दिन भी। जून का दूसरा सप्ताह चल रहा था। छठे दिन चाँद पूरी तरह से घट जाने वाला था। तो छठे दिन की पूर्णमासी की आधी रात को अचानक नीरव रात्रि में मैग्नोलिया को पंछी की आवाज सुनाई दी। वह हौले से बिस्तर से उठी और खिड़की के दोनों पट खोल दिए। बाहर घुप्प अँधेरा था। कुछ ही पलों में वह पंछी खिड़की के रास्ते उसके कमरे में था।

पाँच दिनों से मिलन की आस में तड़प रही मैग्नोलिया घना छतनार पेड़ हो गई थी जिसकी इस डाल से उस डाल पर पंछी लगातार फुदक रहा था। पाँच दिनों की बेसब्री जैसे पाँच जन्मों का फासला हो गया था। पूर्णमासी की यह रात इस फासले को खत्म कर देने पर तुल आई थी। हर वर्जना को तोड़ देने पर उतारू थी।

कमरे और कमरे के बाहर सिर्फ मीठी-मीठी सर्द हवाओं की सिसकारियाँ थीं। चाँद तो पहले से ही रात की आगोश में गुम था।

सुबह गवर्नर हाउस के जागने से पहले ही पंछी फुर्र हो गया था। खिड़की ऐसे बन्द थी मानो वह कभी खुली ही नहीं हो।

टहलते हुए जब गवर्नर महोदय बेटी के कमरे के सामने से गुजरे तो पल भर के लिए ठिठके। फिर आगे बढ़कर हौले से दरवाजा खोला। बेटी बेसुध नींद में थी। पहले की ही तरह दरवाजा भिड़काकर लौटने को हुए। अचानक दिमाग में बेटी के तकिए के पास किसी चीज के होने का खटका हुआ। वे दरवाजा खोलकर अन्दर आए। सीधे तकिए के पास देखा। वहाँ एक बाँसुरी पड़ी थी।

गवर्नर महोदय के दाँत टकरा उठे। जबड़े भिंच गए। तमतमाए चेहरे और कँपकँपाते हाथों से उन्होंने बाँसुरी उठाई और चुपचाप कमरे से बाहर निकल आए।

अपने बेडरूम में पहुँचकर उन्होंने बाँसुरी को गौर से देखा।

'ये कहाँ से मिला? ये तो इस नेटिव की बाँसुरी मालूम होती है?' अनजानी आशंका से भयभीत होती हुई लेडी गवर्नर बोली।

'बेबी के कमरे से मिला...'

'ओह गॉड!' लेडी गवर्नर माथा पकड़कर बैठ गईं।

'हम यहाँ और नहीं रुकेंगे। कल-परसों ही लौट जाएँगे।' जबड़ों को भींचे-भींचे गवर्नर महोदय ने कहा और बाँसुरी को तोड़कर अँगीठी में झोंक दिया। अँगीठी की आग बुझी नहीं थी। अंगारों ने बाँसुरी को अपनी जद में तुरन्त ले लिया। आग लपट बनकर नाचने लगी।

उस दिन जब सूरज पहाड़ों पर चढ़ आया था, तब जाकर उठी मैग्नोलिया। अँगड़ाई ली तो पोर-पोर खुलकर बिखर गया। उसके चेहरे पर अपूर्व आनन्द का भाव छलछला उठा।

मैग्नोलिया तैयार होकर बाहर आई तो लगा सब उसे घूर रहे हैं। उसने चुपचाप नाश्ता किया और अपने कमरे में आकर फिर से सो गई।

उस रात फिर पंछी बोला। मैग्नोलिया ने पंछी के स्वागत में खिड़की खोल दी। पर पूरी रात बीत गई पंछी नहीं आया। जब सूरज निकलने-निकलने को हुआ तो नीमअँधेरे में उसने देखा, खिड़की के सामने गार्ड्स मुस्तैदी से गश्त पर थे। उसका दिल बैठ गया। उसने उदास खिड़की को हौले से बन्द किया और बिस्तर पर ढेर हो गई।

दूसरी रात को फिर पंछी ने आवाज दी। मैग्नोलिया ने अँधेरे में बाहर देखने की कोशिश की। सिवाय अँधेरे के उसे कोई हलचल नहीं दिखी। उसने निश्चिन्त हो खिड़की का पट खोल दिया। उसका दिल धक-धक कर रहा था। बाहर बिलकुल शान्ति थी। थोड़ी ही देर में अहाते की दीवार पर उसे पंछी के साये का आभास हुआ। एक-एक पल की प्रतीक्षा पहाड़ हो रही थी। उसने अपनी धड़कती हुई छातियों पर हाथ रखा। उसकी नजरें सामने टिकी हुई थीं। उसने साये को अहाते के भीतर कूदते देखा और उसी पल एक साथ चार-पाँच गोलियों का धमाका हुआ। पंछी की आखिरी चीख उसके कानों तक आई और मानो उसके भी प्राण निकल गए। खिड़की के पास ही मैग्नोलिया का शरीर अचेत होकर गिर पड़ा था।

अँधेरे कमरे में कुछ पल बाद गवर्नर महोदय की गम्भीर आवाज गूँजी, 'डोन्ट वरी, शी इज ओके। बस गोली की आवाज सुनकर बेहोश हो गई है।'

जब मैग्नोलिया को होश आया तो बँगले की सूरत बदली हुई थी। सामान कसे जा रहे थे। बाहर मोटरकार और बग्घियों में सामान रखा जा रहा था। नौकरों की भागदौड़ से पूरा बँगला त्रस्त था।

गवर्नर महोदय ने आँख खुलते ही प्यार से बेटी के माथे पर हाथ फेरा, 'सॉरी डार्लिंग, कल तुम्हें इन्फॉर्म नहीं कर पाया...हमें अभी तुरन्त यहाँ से निकलना होगा। कलकत्ता से लॉर्ड वायसराय का अरजेंट टेलिग्राम आया है। तुम जल्दी से तैयार हो जाओ। हम लोग इन्तजार कर रहे हैं।'

लेडी गवर्नर ने भी पति की हाँ में हाँ मिलाई, 'देर मत करो।'

दोनों पति-पत्नी बाहर निकल गए।

सदमे में पड़ी मैग्नोलिया उनके बाहर होते ही फफककर रो पड़ी।

मैग्नोलिया तैयार होकर बाहर आई तो गवर्नर महोदय ने खुद मोटरकार का दरवाजा खोला और बैठने का इशारा किया। मैग्नोलिया ने एक घूमती हुई निगाह गवर्नर हाउस पर डाली, बागीचे को देखा, आसपास के वृक्षों को निहारा। फिर अपने आँसुओं को जज्ब करती हुई मोटरकार में बैठने को हुई। लेकिन बैठी नहीं। गवर्नर महोदय ने बेटी को देखा।

'नहीं डैडी, आखिरी बार सनसेट प्वाइंट देखना चाहती हूँ। अगर आप इजाजत दें तो वहाँ तक घोड़े पर चलूँ?' मैग्नोलिया ने भीतर की पीड़ा को दबाते हुए संयत ढंग से पिता से अनुरोध किया।

'ओह! व्हाइ नॉट।' गवर्नर महोदय ने लेडी गवर्नर की ओर देखते हुए कहा, 'तुम्हारा क्या खयाल है डियर? क्या हम अपनी बेटी की ये मामूली इच्छा पूरी नहीं कर सकते?'

'आप ठीक कहते हैं। मैं भी बेबी का साथ दूँगी।' लेडी गवर्नर नकली मुस्कुराहट ओढ़े-ओढ़े बोलीं।

गवर्नर महोदय ने इशारा किया। तुरन्त एक साईस घोड़ा लेकर उपस्थित हो गया।

मैग्नोलिया घोड़े पर बैठ गई। उसके बैठने के बाद जब लेडी गवर्नर भी उसी घोड़े पर बैठने लगीं तो उसने मना किया, 'प्लीज मम्मी। आप दूसरा घोड़ा ले लो।'

लेडी गवर्नर ने अपने पति की ओर देखा। गवर्नर महोदय ने क्षण भर सोचा और फिर ठहाका मारकर बोले, 'वेल सेड। बेबी डार्लिंग ठीक ही तो कहती है। ये बेचारा घोड़ा भला तुम्हारा भार कैसे उठा पाएगा।' फिर उन्होंने सिक्यूरिटी इंचार्ज से कहा, 'हर हाइनेस के लिए दूसरा घोड़ा लाओ।'

गवर्नर का काफिला चल पड़ा। आगे और पीछे गार्ड्स थे। बीच में गवर्नर महोदय की मोटरगाड़ी। उसके पीछे सामान की लॉरी और बग्घियाँ। आगे चल रहे घुड़सवार गार्ड्स के ठीक पीछे मैग्नोलिया और लेडी गवर्नर।

वातावरण उदास था। मोरम बिछे कच्चे रास्ते पर पीले बेजान पत्ते हलकी-सी हवा से भी उड़-उड़ जा रहे थे। खामोशी से बढ़ता हुआ काफिला सनसेट प्वाइंट के करीब पहुँचने वाला था।

अचानक मैग्नोलिया की ऐड़ पड़ते ही घोड़ा तेजी से दौड़ा। एकदम सरपट। लोग हँस पड़े। कितनी उतावली है गवर्नर की बेटी।

लेकिन यह क्या!

उन सबकी हँसी गले में ही अटक गई।

मैग्नोलिया घोड़ा सहित सनसेट प्वाइंट से घाटी में छलाँग लगा चुकी थी। दिल को दहला देने वाली घोड़े की चीख वातावरण में गूँजी और फिर सब कुछ शान्त हो गया।

लेडी गवर्नर घोड़े पर ही बेहोश हो गईं।

लोगों की दिल दहला देने वाली चीख-पुकार की परवाह किए बिना तभी न जाने कहाँ से दो मैना पंछी अचानक अपने पंख फड़फड़ाते हुए मोटरगाड़ी की बोनट पर आकर बैठ गए थे।

(मैग्नोलिया और रिमिल, दोनों नाम और कहानी की बुनावट काल्पनिक है, बाकी सब कुछ सच्चा है।)

○○○